La mémoire ensanglantée

la courte échelle

Les éditions de la courte échelle inc.
5243, boul. Saint-Laurent
Montréal (Québec) H2T 1S4

Directrice de collection:
Annie Langlois

Révision:
Jean-Pierre Leroux

Infographie:
Folio infographie

Dépôt légal, 2ᵉ trimestre 2005
Bibliothèque nationale du Québec

La courte échelle reconnaît l'aide financière du gouvernement du Canada par l'entremise du Programme d'aide au développement de l'industrie de l'édition pour ses activités d'édition. La courte échelle est aussi inscrite au programme de subvention globale du Conseil des Arts du Canada et reçoit l'appui du gouvernement du Québec par l'intermédiaire de la SODEC.

La courte échelle bénéficie également du Programme de crédit d'impôt pour l'édition de livres – Gestion SODEC – du gouvernement du Québec.

Données de catalogage avant publication (Canada)

Péan, Stanley

    La mémoire ensanglantée

    Réédition
    (Ado+; 001)
    Publ. à l'origine dans la coll.: Roman+. C1994.

    ISBN 2-89021-813-9

    I. Titre. II. Collection.

PS8581.E24M45 2005   jC843'.54   C2005-940586-4
PS9581.E24M45 2005

Imprimé au Canada

Stanley Péan

Né à Port-au-Prince, en Haïti, en 1966, Stanley Péan a grandi à Jonquière. Très vite, l'écriture a pris une grande place dans sa vie. À 17 ans, il remportait le premier prix au concours de nouvelles des Bibliothèques publiques du Saguenay-Lac Saint-Jean. En 1991, il publiait son premier roman, *Le tumulte de mon sang*. Depuis, il a écrit plusieurs autres romans et des recueils de nouvelles, publiées au Québec et en Europe. Amoureux des mots et de musique, Stanley Péan aime faire partager ses passions. Il a animé une émission de littérature à la télévision et il est critique littéraire dans différents journaux. Rédacteur en chef du journal *Le Libraire*, directeur littéraire de la revue *Alibis* consacrée au roman policier, il réalise et anime une émission sur le jazz à l'antenne de la radio Espace Musique. On lui doit aussi quelques textes de chanson.

À la courte échelle, il a publié cinq romans pour les adolescents dans les collections Roman+ et Ado+, dont *Le temps s'enfuit* pour lequel il a reçu le prix du livre M. Christie. Il est également l'auteur du roman *Zombi Blues* pour les adultes et de l'album *Un petit garçon qui avait peur de tout et de rien* dans la série Il était une fois.

Du même auteur, à la courte échelle

Collection Albums
Série Il était une fois...
Un petit garçon qui avait peur de tout et de rien

Collection Roman+
L'emprise de la nuit
L'appel des loups
Quand la bête est humaine

Collection Ado+
La mémoire ensanglantée
Le temps s'enfuit

Stanley Péan

La mémoire ensanglantée

la courte échelle

*À Joëlle, qui s'imagine toujours
que les fantômes n'existent pas,
et à Irène, qui au contraire
sait très bien que si.*

*Que de sang dans ma mémoire ! Dans ma mémoire
sont des lagunes. Elles sont couvertes de têtes de mort.
Elles ne sont pas couvertes de nénuphars. Dans ma
mémoire sont des lagunes. Sur leurs rives ne sont
pas étendus les pagnes des femmes. Ma mémoire
est entourée de sang. Ma mémoire a sa ceinture de
cadavres !*

AIMÉ CÉSAIRE
Cahier d'un retour au pays natal

On couche toujours avec des morts.

LÉO FERRÉ, *Pépée*

Chapitre 1

Mon univers parallèle

D'aussi loin que je me souvienne, j'ai toujours vécu à cheval sur deux mondes. C'était pareil, je suppose, pour mon frère Jacky, ainsi que pour nos copains et copines, comme nous nés de parents haïtiens. Le jour, on allait et venait dans Montréal, entre le métro, l'école, les boutiques et fast-foods du centre-ville. Mais sitôt le seuil de la maison familiale franchi, on passait en quelque sorte dans un univers parallèle.

En ce qui me concernait, le passage m'était d'abord signalé par la voix de Locita. Du vestibule, j'entendais ma mère fredonner les airs de sa jeunesse sous les tropiques. À peine avais-je le temps de refermer la porte que déjà le fumet épicé du plat qui mijotait m'emplissait les narines. Le monde extérieur disparaissait alors dans une délicieuse bouffée parfumée au girofle, au thym, à l'ail et au piment fort.

Il n'en fallait pas plus pour me convaincre que j'étais de retour en Haïti, ne serait-ce qu'en rêve.

Pour tout dire, mes parents me faisaient penser à ces *bizango* dont parlaient les contes au son desquels ils me berçaient quand j'étais petite. Il s'agissait d'êtres surnaturels qui, le soir, sortaient de la peau humaine sous laquelle ils se cachaient durant la journée.

À l'heure du branle-bas qui précédait le départ vers le monde extérieur, tandis que Jacky et moi mangions nos céréales ou nos toasts, Herbert et Locita enfilaient leurs costumes de Nord-Américains typiques. J'avais l'impression qu'ils cessaient d'être mon père et ma mère pour devenir un ingénieur et une employée de banque en tout point identiques à leurs collègues de travail...

Dès qu'ils rentraient du boulot cependant, le tailleur seyant et le complet trois-pièces ne tardaient pas à prendre le chemin de la penderie.

Ils étaient alors remplacés par ces vêtements amples, légers et colorés que Herbert et Locita affectionnaient tant.

Leur métamorphose ne s'arrêtait pas là ; le français qu'ils avaient utilisé toute la journée cédait la place au créole. C'était dans cette langue qu'ils s'adressaient à la parenté au téléphone et qu'ils plaisantaient avec la visite attablée autour d'une partie de cartes et de quelques grogs. C'était en créole aussi qu'ils s'indignaient des scandales rapportés dans les pages du journal *Haïti-Observateur.*

Enfin, c'était en créole qu'ils nous interpellaient, Jacky et moi, bien qu'il nous fût interdit d'en faire autant lorsque venait le temps de répondre. Mais, allez savoir pourquoi, c'était de préférence en français qu'ils nous apostrophaient quand ils avaient quelque chose d'important à nous dire...

Comme ce samedi soir-là.

J'étais dans ma chambre avec Sandra Thériault. Au son du nouvel album de Prince, nous feuilletions une revue de mode.

— Excuse-moi de t'importuner, Leïla, a dit Loce, solennelle, en pointant sa tête dans l'entrebâillement de la porte. Mais quand tu auras une minute, ton père et moi aurions quelque chose d'important à te dire...

Ma mère retournait vers la cuisine à pas de tortue, pour me signifier que je devais avoir une minute le plus tôt possible.

Locita savait pertinemment qu'elle ne me dérangeait pas. Sandra me rendait visite dans le seul but de se rapprocher de Jacky auquel elle vouait un amour prétendument secret. Secret de Polichinelle, cela dit : la moitié du quartier était au courant, y compris mon père, ma mère et le principal intéressé qui s'en amusait beaucoup.

Non, Locita ne m'importunait pas le moins du monde.

13

N'empêche : j'ai affiché la mine agacée de celle qu'on arrache à une activité capitale. Question de principe.

Mieux vaut ne jamais laisser à vos parents l'impression que vous êtes *vraiment* disponible, sinon ils se sentiront autorisés à abuser de votre temps.

L'une derrière l'autre, Locita et moi avons traversé le salon où mon frère, avachi sur le sofa, se bidonnait devant une émission comique sur une chaîne américaine.

— Jacques Bastide, je t'ai déjà dit de ne pas mettre tes pieds sur mes meubles, a dit Loce, sans même s'arrêter pour s'assurer que mon frère l'écoutait.

Dans la cuisine, mon père était attablé avec un lointain cousin à lui, Claude-Henri, que Jacky et moi appelions tonton Clo même s'il n'était pas un oncle. Ils sirotaient un verre de lait frappé à la goyave que Locita avait préparé.

— Ah, Leïla, te voilà. Assieds-toi donc, a dit Herbert avec une cordialité qui m'a semblé louche. Tu te souviens de tonton Clo ?

J'ai salué, mais je suis restée debout. J'espérais leur montrer par là que je n'avais pas envie de passer la soirée.

— Bon, qu'est-ce qu'il y a ? me suis-je impatientée.

— C'est au sujet de Grannie Irma, a fini par accoucher mon père.

Grannie Irma. Au cours des derniers mois, ce nom n'avait cessé de revenir dans les conversations téléphoniques de Herbert avec la famille ici, aux États-Unis et même en Haïti. Le nom désignait une vieille veuve apparentée à papa par un lien trop complexe pour qu'on puisse le définir précisément.

— Qu'est-ce qu'elle a ? Elle est morte ?

— Mlle Rigaud a démissionné vendredi dernier, a continué tonton Clo.

Rien de surprenant ! Il s'agissait de la troisième dame de compagnie à quitter son emploi en moins d'un an. Ce qui étonnait, ce n'était pas tant que Mlle Rigaud ait remis sa démission que le fait que cela lui avait pris tout ce temps, plus qu'à ses deux prédécesseures réunies.

D'après ce que j'avais compris, la démissionnaire aurait mérité une médaille en plus de son indemnité de vacances, car Grannie Irma était une véritable harpie. Tatie Danielle en version créole, rien de moins !

— Et alors ?

— Alors, a enchaîné Herbert, nous ne savons plus quoi faire : que l'un d'entre nous la prenne ou qu'on l'envoie vivre avec grand-mère Cécile en Haïti. Personnellement, j'opterais pour la dernière solution. Mais avant, il faudrait consulter ta tante Carole qui est en vacances au Brésil pour trois semaines...

— Mais encore ? ai-je relancé, sentant venir le désagrément.

— On avait pensé à te demander de passer quelques jours chez elle, en attendant, a dit Herbert.

Du joli: les classes venaient tout juste de se terminer, mais au lieu de profiter de mes vacances, je devrais jouer les domestiques pour une vieille qui n'avait plus toute sa tête.

— Pourquoi moi? ai-je protesté. Pourquoi pas Marie-Claudine, Natalia ou Michèle?

— Toutes tes cousines se sont trouvé un emploi pour l'été, a riposté Loce.

J'avais saisi la réprimande: encore une fois, elle me reprochait subtilement mon incapacité de me dénicher du boulot. Comme si je faisais exprès!

— Et Jacky? Je suis sûre que ça lui plairait de jouer les gardiens de vieillards!

— Tu sais très bien que ton père a besoin de lui pour les rénovations de la maison...

— Évidemment! me suis-je énervée. À lui les jobs de gars et à moi le gardiennage!

— Leïla Bastide! a tonné mon père. Un peu de respect, s'il te plaît!

Au fond, discuter durant des heures n'aurait rien changé.

Quand Herbert disait qu'ils avaient pensé à me demander de passer quelques jours là-bas, je devais plutôt comprendre qu'ils avaient déjà décidé de m'y envoyer sans me consulter.

Furieuse et frustrée, j'ai quitté la cuisine en trombe, regrettant qu'il n'y ait pas de porte à faire claquer.

Au salon, j'ai trouvé mon frère étendu sur le sofa dans la même position que tout à l'heure, en dépit de la remarque de maman, et Sandra assise en coin sur le bras du fauteuil.

Fatiguée de poireauter dans ma chambre, elle était venue m'attendre près de Jacky. J'aurais gagé n'importe quoi qu'elle n'en avait même pas profité pour faire la conversation, se contentant de s'esclaffer aux reparties des comédiens à la télé.

Puisqu'elle ne comprenait pas un traître mot d'anglais, elle se fiait aux éclats de rire de Jacky et du public en studio pour savoir quand rigoler.

— Viens-t'en, on sort ! lui ai-je dit en empoignant nos blousons sur la patère près du vestibule.

Je suis sortie en un coup de vent, heureuse d'avoir enfin trouvé une porte à faire claquer.

J'espérais que la brise du soir arriverait à apaiser l'incendie qui rageait en moi.

Je me suis arrêtée sur le trottoir, le temps que Sandra me rattrape. Elle avait l'air déçue de n'avoir pas pu bavarder avec Jacky. Je m'en fichais pas mal. J'ai repris mon pas militaire, même si je n'avais aucune destination en tête.

Comme Sandra voulait connaître les raisons de ma mauvaise humeur soudaine, je lui ai tout raconté.

— Tu aurais dû dire non, tout simplement.

J'ai eu envie de l'étrangler ! Tout simplement ! Peut-être que dans sa famille à elle, dans le monde extérieur à chez moi, les choses se passaient ainsi. Mais dans mon univers parallèle, rien n'était jamais aussi simple...

Chapitre 2

Bienvenue en plein cœur de nulle part

La maison de Grannie Irma se trouvait au nord de Montréal, en retrait d'une localité des Laurentides dont je refusais d'apprendre le nom. Il fallait compter une heure d'autoroute pour y arriver. Était-il besoin de préciser qu'aucun autobus ne venait jusqu'ici ? En termes clairs, la vieille habitait en plein cœur de nulle part !

Nous roulions sous un ciel maussade qui, comme moi, menaçait d'exploser à tout moment. Je n'avais pas desserré les mâchoires durant le trajet. Pas question de leur donner l'impression que je me pliais à leur volonté de bon gré !

Enfin, Herbert a engagé notre fourgonnette dans l'allée mal pavée d'une maison de style canadien, perdue au milieu d'un terrain laissé à l'abandon. Nichée entre les mauvaises herbes qui avaient dévoré la pelouse avant et le sous-bois derrière, elle ressemblait à la demeure de Tarzan dans la jungle.

Immédiatement, j'ai haï cette maison. J'ai haï cette banlieue, si loin de mes amies et de mes loisirs dont j'avais à peine commencé à jouir. J'ai haï Grannie Irma et son défunt mari pour avoir eu l'idée grotesque de s'installer en marge du monde civilisé. Mais j'ai surtout haï mon père qui m'obligeait à venir perdre ici mes premières semaines de vacances !

Herbert a marché droit vers la porte avant. Il a appuyé deux fois sur le bouton de la sonnette, a tenté de voir à travers les rideaux tirés du salon, puis a sonné encore.

— Pas de réponse ? s'est étonnée Loce.

— Peut-être que la sonnette ne fonctionne pas.

— Peut-être que la vieille a crevé durant la nuit, ai-je pensé à voix haute.

Mon père m'a décoché un de ces coups d'œil à vous couper sec l'envie de dire tout ce qui vous passe par la tête. Par chance, les rideaux du salon se sont écartés avant qu'il ne puisse me relancer verbalement.

La vieille a collé son visage contre la vitre, les yeux plissés comme ceux d'une taupe, probablement éblouie par la lumière du jour. Malgré la vitre qui agissait comme une sourdine, nous l'avons entendue assez clairement nous demander en créole :

— Qui est là ? Qu'est-ce que vous me voulez ?

— C'est moi, Grannie : Herbert ! Je t'amène de la visite.

— Qui, Herbert ?

20

— Herbert Bastide, a spécifié mon père, décontenancé. Le fils de Guillaume. J'ai appelé hier.

La vieille a hésité, avec l'air de s'interroger sur la véracité des paroles de papa. Quand les rideaux se sont refermés sur son visage méfiant, j'ai pensé qu'elle allait retourner se terrer dans un coin de sa maison, sans nous ouvrir. Le son du loquet qui se déverrouille a tué dans l'œuf mon espoir.

Grannie Irma nous a invités à entrer, même si son expression nous portait à croire qu'elle n'était pas sûre de savoir qui nous étions.

Ma précédente rencontre avec Grannie Irma remontait à l'enterrement de son mari, le docteur Léonidas Armand, cinq ans plus tôt. Dans mon souvenir, c'était le genre de vieille parente qui s'extasiait sur les millimètres que vous aviez gagnés en hauteur depuis la dernière fois, même si elle vous avait vu juste la veille.

Elle avait pris un sacré coup de vieux. Ployant sous le poids des rhumatismes et des années, elle avançait à grand-peine. Ses lèvres dures et gercées faisaient qu'elle avait l'air de grimacer perpétuellement.

Je ne reconnaissais pas dans cette femme rabougrie la grande dame, digne et volontaire, qui avait traversé les funérailles de son époux sans verser une larme. Je me rappelais avoir envié son courage, à l'époque. Moi, si quelqu'un que j'aime mourait subitement, je craquerais.

Stoïque, Grannie Irma s'est laissé embrasser, visiblement à contrecœur, par Herbert, Loce et moi, avant de s'écarter.

À l'intérieur, il faisait plus sombre que dans une tanière. Une radio à l'étage diffusait de la musique haïtienne. Le rythme assourdi des tambours glissait sur des odeurs rances de cuisine, de moisissure et d'urine. Locita s'est empressée de lever les stores, pour faire entrer un peu de lumière.

Mes parents ont échangé des regards effarés à la vue de la pagaille. On aurait dit qu'un cyclone était passé par ici. Partout traînaient torchons sales, vêtements fripés, verres à demi pleins de lait caillé, assiettes souillées.

Quel beau séjour en perspective !

* * *

Pendant que mon père s'affairait à réchauffer le repas que ma mère avait eu la présence d'esprit d'apporter, elle et moi avons entrepris le nettoyage de cette soue. J'ai fait remarquer à Locita que si ma chambre s'était trouvée dans un pareil désordre, elle n'aurait pas réagi avec un tel calme et ne m'aurait certes pas aidée à ranger.

Grannie Irma s'était réfugiée dans sa chambre, verrouillée à double tour. Du rez-de-chaussée, on pouvait l'entendre marmonner. De toute évidence, la vieille était en plein conciliabule avec ses fantômes. Mes parents avaient convenu de ne pas la déranger avant l'heure du repas.

Herbert n'avait pas beaucoup parlé depuis notre arrivée, mais je lisais le désarroi sur ses traits. Je découvrais tout juste l'étendue de son affection pour cette parente qu'il ne voyait pourtant presque jamais. Apparemment, la trouver dans un tel laisser-aller lui fendait le cœur.

En fin d'après-midi, nous avions restitué à l'intérieur négligé un semblant d'ordre. Le corridor d'où nous contemplions notre ouvrage s'étirait entre le vaste salon et la salle à manger d'un côté, le bureau du Doc, un imposant escalier et le coin-lecture de l'autre. Au bout, la cuisine s'ouvrait sur la bibliothèque et sur le jardin d'hiver.

Les murs étaient cernés par des boiseries foncées et tapissés de toiles représentant des scènes de la vie quotidienne en Haïti. Ils étaient également couverts de masques en ébène ou en acajou. Sur le manteau de cheminée entre le salon et la salle à manger, s'alignaient des figurines sculptées en bois : marchandes ambulantes, joueurs de tam-tam, animaux réels ou fabuleux.

Une fois le tout épousseté, balayé et récuré, la maison ne paraissait plus aussi rébarbative pour qui appréciait un ameublement baroque et exotique.

Exténuées, nous avons pris un moment pour souffler durant lequel j'ai englouti un demi-litre de jus. Ensuite, pendant que Herbert dressait la table pour le repas, Locita et moi sommes allées chercher mes bagages et mon vélo dans la fourgonnette.

Ma mère en a profité pour me remettre l'argent nécessaire à l'entretien de la maison. Elle y a ajouté cent dollars, que Herbert et elle m'offraient pour mon dérangement. Ça me faisait une belle jambe! Dans ce désert où ils m'abandonnaient, il n'y avait à ma connaissance pas un disquaire, pas une boutique de vêtements décente où dépenser ce petit magot.

— Tu sais, Leïla, ton père t'est très reconnaissant d'avoir accepté de prendre soin de Grannie Irma pendant ces quelques jours, m'a confié Locita. Et très fier de toi, aussi.

— À ce point-là? Alors, pourquoi il ne me le dit pas lui-même?

Locita s'est contentée de secouer la tête, baissant pavillon devant mon hostilité.

* * *

Avant de passer à table, nous avons dû attendre que papa parvienne à convaincre Grannie Irma de sortir de sa chambre. La vieille s'était endormie durant l'après-midi et avait oublié notre présence, peut-être même notre identité.

Sous le regard austère de Léonidas Armand dans son cadre accroché au mur, nous avons mangé les crevettes en aubergine de ma mère dans un silence pesant. S'il est vrai que quand une pause se prolonge dans une conversation un ange passe, alors le personnel du Paradis au grand complet a dû profiter de notre repas pour déménager.

J'ai pignoché dans mon assiette, incapable de détourner mon attention de Grannie Irma.

Elle me fascinait. Par moments, elle semblait parfaitement lucide, elle souriait même à maman pour la remercier de ce festin. Coquette, elle portait les mains à ses tempes pour lisser ses cheveux gris. L'instant d'après, son visage se vidait de son expression et elle se mettait à scruter son plat avec anxiété, comme si elle redoutait d'en voir émerger la main d'un démon.

Au dessert, Herbert lui a annoncé d'une façon guindée que j'allais demeurer auprès d'elle au cours des prochaines semaines.

Grannie Irma l'a regardé pendant quelques secondes, puis elle s'est lancée dans une attaque contre les « garces » que la famille avait jusqu'alors engagées pour lui servir de dames de compagnie.

— De vraies salopes, fulminait-elle. Sans éducation, en plus. Surtout la dernière, cette demoiselle Rigaud. Partie sans même me préparer à manger... Elle m'a abandonnée comme une chienne galeuse.

— Oui, Grannie, nous savons tous combien c'est dur pour toi, tempérait mon père. C'est pourquoi nous sommes si heureux que Leïla se soit proposée pour les remplacer. Vous allez vous entendre à merveille, tu peux me croire.

La vieille s'est tournée dans ma direction et ses traits se sont peu à peu adoucis. Elle a même esquissé un sourire en tendant une main vers ma joue.

— Tu ne m'avais jamais dit à quel point ta fille ressemble à Nina, a dit Grannie Irma en me caressant de ses doigts calleux. Quasiment des jumelles.

— Oui, a approuvé papa, mal à l'aise. Elles se ressemblent vraiment beaucoup.

— Nina ? C'est qui, ça ?

— La fille de Grannie Irma, a dit Loce sur un ton hésitant.

— Ah ? Je ne savais pas que Grannie avait une fille !

Herbert m'a encore fait de gros yeux. D'un geste, Locita m'a signalé qu'il valait mieux en rester là. J'en ai déduit que mon emploi de l'imparfait était tout à fait indiqué : de toute évidence, cette Nina était passée dans l'autre monde. Je saisissais moins bien le malaise qui planait sur la pièce. C'était à croire que le simple fait de prononcer son nom risquait de détourner Nina de son chemin de morte.

Heureusement, la sonnette de l'entrée est venue nous distraire de la tension croissante.

— J'y vais, ai-je dit, sautant sur l'occasion.

La porte ouverte, je me suis figée devant un Noir qui était à peu près de mon âge. De taille moyenne, il avait les cheveux tressés en nattes fines et courtes. Son costume fluo ajusté ne laissait à l'imagination aucun détail de son corps mince et athlétique. Au milieu de son faciès d'encre, ses yeux brillaient d'un éclat charmeur.

La surprise semblait réciproque, car le garçon est demeuré là, face à moi, sans rien dire. Il a fallu la voix de mon père pour nous arracher à notre ébahissement.

— C'est à quel sujet, Leïla ? a voulu savoir Herbert qui s'avançait dans le corridor derrière moi.

— Les phares du camion, a expliqué le jeune homme dans un français incertain. Ils sont restés allumés.

Son français cassé trahissait une origine anglophone. Herbert a froncé les sourcils et m'a écartée de son passage pour sortir.

— Merci, très aimable à vous.

Il ne bougeait pas, me regardait toujours fixement, avec un sourire en coin.

— Eh bien, bonsoir, a ajouté papa, pour l'encourager à reprendre son chemin.

— Oui, bonsoir, a-t-il répliqué sans me lâcher des yeux.

Tandis que mon père allait s'occuper de ses phares, l'adonis nègre est remonté sur son vélo. Serré comme si on l'avait moulé sur son corps, son vêtement lui faisait les plus jolies fesses du monde. J'ai soupiré en le voyant s'éloigner vers le couchant.

— Qu'est-ce que tu as ? m'a demandé Herbert, soupçonneux.

— Rien. Je me disais seulement que mon séjour dans ce trou ne sera peut-être pas si désagréable... ai-je répondu, des sous-entendus plein la voix.

Cette remarque a suffi pour démarrer la machine à paranoïa qui servait de tête à mon père. Tout de suite, il m'a rappelé qu'on m'avait amenée ici pour m'occuper de Grannie et pas pour courir les garçons. Et puis, ce jeune voyou — car c'en était sûrement un — était sans doute Jamaïquain et il fallait éviter ces gens-là, et patati, et patata. Mais oui, papa : les Jamaïquains sont comme ci, les Québécois comme ça, et mieux vaut ne pas parler des Italiens, des Grecs, des Arabes, des Juifs ou même des Haïtiens. Ce qu'il pouvait m'agacer avec ses préjugés idiots, des fois ! Tout ça pour dissimuler sa panique à l'idée qu'un jour je revienne à la maison enceinte !

Chapitre 3

À la galerie des souvenirs

Après le repas, Loce et moi avons poursuivi le ménage à l'étage. En fourrant du linge sale, cueilli un peu partout, dans la corbeille en osier près de la salle de bains, j'ai remarqué que celle-ci portait des traces récentes de griffes.

— Bizarre, je n'ai pas vu de chat...

— Peut-être qu'il appartenait à Mlle Rigaud, a supposé ma mère.

À peine avions-nous fini de changer les draps de Grannie Irma que la vieille s'est retirée dans sa chambre pour la nuit en maugréant. Elle s'est tout juste donné la peine de nous saluer avant de verrouiller sa porte.

Locita et moi sommes redescendues à la cuisine pour boire une tisane. Dehors, le jour achevait de se saborder dans une orgie de rouge. En finissant de ranger les couverts, Herbert a fait remarquer à ma mère qu'ils devraient reprendre la route bientôt, s'ils ne voulaient pas arriver à Montréal trop tard.

Du coup, je me suis rappelé qu'ils allaient repartir sans moi ! Mon visage a dû trahir ma contrariété, car maman a pris ma main dans la sienne et m'a adressé un sourire compatissant.

Quelques instants après, sur le pas de la porte, Herbert enfilait ses dernières recommandations. Même sans l'écouter, j'aurais pu réciter simultanément et mot à mot son petit discours que j'avais entendu toutes les fois que Locita et lui étaient partis en voyage. Je l'ai laissé parler, estimant que ses sermons servaient à le réconforter lui-même. J'ai seulement grimacé quand il a répété ses avertissements au sujet du visiteur de tout à l'heure.

— Herbert, laisse tomber, a dit Loce en me faisant un clin d'œil. Notre Leïla n'est plus une enfant, tu sais. Viens, on s'en va...

Ils n'avaient pas fait deux pas dans l'allée que mon père s'est immobilisé, interloqué.

— Tu as entendu ?

— Quoi ?

Herbert nous a fait signe de nous taire. Tous trois, nous avons tendu l'oreille. La brise du soir ne charriait que les rumeurs de la ville, rien d'autre.

— Étrange, a fait mon père. Il me semble avoir entendu crier « *Men kénèp** ».

---

* En créole, « Voici des *kénèp* ». Il s'agit d'un cri typique des marchandes de fruits ambulantes en Haïti. La *kénèp* est un petit fruit à la chair rose

Maintenant qu'il le faisait remarquer, j'ai moi-même cru entendre la voix nasillarde d'une marchande de fruits haïtienne. Mais je me suis dit qu'il s'agissait plutôt du *pimpimp* d'un klaxon perdu au loin.

— C'est le mal du pays qui te travaille, chéri, a plaisanté Locita. Il n'y a pas la moindre marchande de *kénèp* à des kilomètres à la ronde...

... Il n'y a pas grand-chose à des kilomètres à la ronde, ai-je eu envie de rectifier, mais je m'étais déjà fait assez de mauvais sang comme ça.

Le temps d'un dernier au revoir et déjà la fourgonnette redémarrait. Je suis restée sur le perron longtemps après que l'éclat des phares s'est estompé dans le crépuscule. Pressée par la bise frisquette, je suis rentrée.

Seule.

Les ombres du soir avaient investi les lieux. Et en dépit des relents d'ammoniaque laissés par les produits nettoyants, je respirais de drôles d'odeurs. Était-ce l'effet de mon ressentiment à l'idée d'être coincée ici ou bien les préjugés que j'entretenais au sujet des vieux ? Allez savoir. J'avais pourtant l'impression que persistaient chez Grannie Irma des effluves de mauvais souvenirs, d'angoisses mal inhumées...

Chose sûre, il y régnait une chaleur sèche, étouffante. Cette température me paraissait d'autant plus inexplicable que dehors le fond de l'air était plutôt frais

_____
sous une écorce verdâtre, vaguement semblable au litchi du sud de l'Asie.

31

et que tous les calorifères étaient glacés. Malgré cela, la maison me faisait penser à un énorme four, et moi j'étais la dinde qu'on y avait fourrée pour la faire rôtir.

J'ai entrouvert la porte vitrée du jardin d'hiver, espérant rafraîchir l'atmosphère. À ma grande surprise, un vent chaud comme le souffle de l'enfer s'est infiltré par la moustiquaire.

Durant un instant, j'ai contemplé mon vélo appuyé contre le mur de la serre. Je jonglais avec l'idée de l'enfourcher, de pédaler à en perdre haleine, le plus loin possible de cette geôle où mon père m'avait condamnée à expier un crime que je n'avais pas commis.

Ma conscience s'est vite chargée de me rappeler à la raison : on comptait sur moi pour m'occuper de Grannie Irma. Et puis, j'osais à peine me l'avouer, j'avais peur de me perdre dans ces chemins inconnus le soir tombé.

Je me suis donc ravisée, préférant monter prendre une douche.

Tandis que l'eau ruisselait sur moi, je me suis examinée de la tête aux pieds, m'interrogeant sur mon sex-appeal. Je ne remporterais peut-être jamais de concours de beauté, mais il me semble que j'aurais de quoi retenir l'attention de qui se donnerait la peine d'y regarder à deux fois.

Inévitablement, l'image du charmant cycliste a ressurgi dans mes pensées. La caresse brûlante des jets d'eau sur ma peau m'a fait rêver du frôlement de ses doigts, de ses lèvres. Ah, si papa savait ça! comme disait la chanson.

Je ne me suis tout de même pas éternisée sous l'eau, de peur de réveiller Grannie Irma. Ma douche, quoique brève, avait réussi à transformer la salle de bains en sauna. La vapeur formait un brouillard dense qui rendait tout le décor diffus. J'ai ouvert la fenêtre pour évacuer l'humidité.

Pour l'heure, je n'avais pas envie de me coucher, estimant que, malgré ma fatigue, la chaleur suffocante m'empêcherait de m'endormir. Aussitôt séchée, je suis redescendue. La tête enturbannée dans une serviette, le corps drapé dans une autre, j'avais des allures de vahiné tout droit sortie d'une toile de Gauguin. Le rapprochement était d'autant plus approprié que la maison baignait toujours dans cette température tropicale.

Dans l'escalier, je prenais soudain conscience de mon poids qui faisait grincer le bois des marches. C'était fou ce que le plus infime bruit pouvait être amplifié dans le calme du soir. Je me suis hâtée d'achever ma descente vers le coin-lecture.

J'ai manipulé le rhéostat de la lampe sur pied jusqu'à ce que j'obtienne un éclairage tamisé. Dans la pénombre, les masques sculptés dans le corridor prenaient un air moqueur. J'ai haussé les épaules. Pas question de laisser mon imagination partir en peur.

Une étagère occupait le fond de la pièce. Sur ses tablettes se trouvaient des bouquins jaunis, de vieux disques, un téléviseur qui remontait au déluge et une chaîne stéréo guère plus jeune.

Inutile de dire qu'il s'agissait d'un poste en noir et blanc, sans module de télé interactive ni câble. Quant à la chaîne stéréo, elle comprenait un tourne-disque, un poste de radio AM-FM et un lecteur de cartouches huit pistes, mais pas de lecteur de cassettes ni de lecteur laser.

Je me suis accroupie pour jeter un coup d'œil sur la discothèque. Elle ne comportait bien sûr que des vinyles. De la musique classique principalement (Beethoven, Mozart...), mais aussi de la chanson française (Trenet, Chevalier, Montand...), un peu de jazz (Ellington, Armstrong, Nat King Cole...), du music-hall américain, de la musique populaire haïtienne, du calypso, de la samba.

Décidément, j'avais bien fait d'emporter mon walkman et mes cassettes! La discothèque de Grannie était pire que la lamentable collection de vieilleries de mon père!

Touche-à-tout, je me suis intéressée à une série de gros volumes reliés en cuir, coincés entre deux serre-livres en ivoire représentant des têtes de négresses.

Des albums de photos!

J'ai choisi l'un d'entre eux presque au hasard. Tandis que je le tirais à moi, un craquement s'est fait entendre, comme si l'album allait se briser.

Dans le clair-obscur, j'ai marché à reculons jusqu'au comptoir qui séparait le coin-lecture de la cuisine. Je m'y suis juchée, entre le bottin téléphonique et le plat de fruits. En croquant dans une nectarine très mûre, j'ai amorcé ma visite de la galerie des souvenirs de Grannie Irma. Les feuilles de bristol exhalaient la poussière, comme les pages d'un grimoire. Penchée au-dessus des images en noir et blanc, parfois un peu floues, je m'exerçais à tenter d'associer les visages vaguement familiers à ceux, ridés et cernés, des divers membres de la parenté de mon père.

Je me suis amusée à mettre un nom sur les personnages avant de décrypter la légende griffonnée sous chaque photo dans une écriture noueuse, typique des médecins de toute nationalité.

En tout cas, j'ai reconnu sans peine le couple élégant de jeunes mariés qu'avaient été Léo Armand et Grannie Irma. Ici, ils étaient enlacés devant l'Arc de Triomphe; là, ils batifolaient sur le bord de la mer en Haïti. Je m'étonnais toujours de l'aspect du Doc, dont le nez droit, les yeux clairs, les lèvres fines et les cheveux plutôt lisses me semblaient mal assortis à son ascendance nègre.

En comparant entre elles les photos de tous ces parents à moi, connus ou inconnus, j'ai découvert à quel point le peuple haïtien présentait des nuances dans le teint, la chevelure et les traits du visage.

À la fin de l'album, entre deux pages, agglutinées en une masse raide et ondulée, je suis tombée sur son image à elle.

Les longs cheveux décrêpés flottant dans le vent, assise sur une terrasse, sous une lumière d'été qui, même en noir et blanc, semblait éblouissante.

Nina.

J'en avais le souffle coupé. Elle et moi nous ressemblions beaucoup, en effet. Même front un peu bombé. Même nez camus. Mêmes pommettes hautes, creusées par les fossettes du sourire. Même expression frondeuse dans les yeux, regard qui dénotait chez moi, selon Herbert, l'insolence.

Bref, sauf la couleur de la peau (j'étais plus bronzée que Nina), la corpulence (j'étais plus maigre) et la coiffure (je portais mes cheveux crépus plutôt courts)... j'aurais pu passer sinon pour la jumelle de la fille de Grannie, du moins pour son sosie.

Ou sa réincarnation.

La ressemblance me stupéfiait tant que j'en avais le vertige. Encore un peu et je me serais mise à douter de ma propre identité. Je me sentais presque comme ces personnages dans les films de science-fiction qui découvrent tout à coup qu'ils sont des simulacres fabriqués dans des laboratoires futuristes.

Soudain, la voix stridente de Grannie Irma m'a tirée de mes rêveries.

— Qu'est-ce que tu fais là ? a-t-elle hurlé, passant près de déchirer l'album en me l'arrachant des mains. Qui t'a donné le droit de fouiller dans mes affaires ?

J'ai bafouillé, trop abasourdie pour répondre. Sur le même ton hystérique, elle a continué à déblatérer, comme si j'avais commis les sept péchés capitaux.

— Oh, ça va, ai-je maugréé. Il n'y a pas de quoi crier au meurtre.

— Et impertinente par-dessus le marché! ajoutait-elle. Jésus, Marie, Joseph, qu'est-ce que j'ai fait pour mériter ce calvaire?

Bouillante de colère, j'ai filé droit vers ma chambre, la laissant à ses divagations. Au bord des larmes, je me suis jetée sur le lit sans prendre la peine de le défaire.

Par la fenêtre entrouverte, un courant d'air frais et bienvenu a coulé jusque sur moi.

À ce moment, il m'a semblé entendre quelqu'un, dehors.

D'un bond, je me suis relevée. J'ai écarté les rideaux. Ma fenêtre, tout comme celle de la chambre de Grannie Irma, donnait sur le jardin d'hiver. À travers les parois vitrées de la serre, malgré le feuillage fourni des plantes qui grimpaient jusqu'à la hauteur de ma chambre, je pouvais voir la cour arrière.

Enfin, à cette heure, voir, il fallait le dire vite! Les ténèbres avaient recouvert les environs, si bien qu'on ne distinguait plus la cour du sous-bois qui la cernait.

J'ai écarquillé les paupières. Un doigt glacé allait et venait le long de ma colonne vertébrale. J'ai attendu que ça passe. Il fallait que je me détende. J'ai prêté l'oreille. Je n'écoutais pas le délire de la vieille folle en bas, qui finirait de toute façon par se taire. Je m'efforçais plutôt d'identifier ces bruits indistincts au loin.

Des crissements de pneus dans le silence amer.

Le concert nocturne des grillons.

Un mélange de colère et de tristesse a formé un nœud de douleur dans mes tripes. J'ai détaché les serviettes autour de ma tête et de mon corps pour enfiler ce vieux tee-shirt qui me servait de chemise de nuit.

Je me suis recouchée, promise à un sommeil houleux.

Chapitre 4

Rencontres inattendues

Je me suis réveillée brusquement d'un cauchemar. Je ne me rappelais pas les détails du rêve, j'éprouvais seulement une sensation d'oppression, comme si on avait placé un énorme rocher sur ma poitrine. Le cri que j'ai poussé en me redressant a eu pour écho le miaulement déchirant de la masse de poils caramel et blanc allongée sur mes seins.

J'ai posé une main sur mon cœur, le temps de reprendre mon souffle et mes esprits. Désorientée, j'ai dû me concentrer pour me souvenir de l'endroit où je me trouvais. J'ai balayé la chambre du regard : pas de doute, j'étais toujours en exil au purgatoire ! « Eh bien, on s'est fait une sacrée peur l'un à l'autre », ai-je dit au chat qui avait reculé à l'autre bout du lit.

L'animal a arqué le dos et découvert les dents à la vue de ma main tendue vers lui.

J'ai hésité un moment, retirant ma main, de peur qu'il ne me griffe ou ne me morde. Puis je la lui ai offerte de nouveau, lentement. «Allez, on enterre la hache de guerre, oui ou non?»

Le chat m'a observée de ses yeux suspicieux. Il a finalement consenti à poser une patte de velours sur ma paume. «Tu vois: on n'en meurt pas», ai-je ajouté en le prenant sous les pattes d'en avant.

Il s'est laissé enlacer avec un abandon qui contredisait son animosité initiale. J'en ai profité pour voir s'il s'agissait d'un mâle ou d'une femelle. Pelotonné dans mes bras, *il* s'est vite mis à ronronner, y allant même de quelques coups de sa langue rugueuse sur ma gorge. «Ce qu'on est affectueux!»

De la part d'une bête qui n'avait sûrement pas reçu beaucoup d'affection de la vieille folle, ces câlineries ne me surprenaient pas. J'y ai répondu par de petits baisers sur son museau et des caresses sur son ventre. Le chat a ronronné de plus belle. «Mais où est-ce que tu te cachais, depuis hier? On a fait le ménage partout sans apercevoir ne serait-ce que le bout de ta queue!»

Pour seule réponse, le minou a ouvert la gueule très grand, comme pour bâiller. «Tu t'étais caché? Tous ces inconnus dans ta maison, ça t'a fait peur, poltron? Et on peut savoir comment tu t'appelles?»

Le chat a miaulé, mais il s'est gardé de me révéler son nom. Le serrant plus fort contre moi, je suis allée ouvrir les rideaux pour inviter la clarté du jour dans ma chambre.

La lumière filtrait à travers les tiges des plantes grimpantes. L'atmosphère ne s'était guère rafraîchie durant la nuit. Il ne manquait que deux ou trois perroquets au plumage coloré et quelques autres animaux exotiques pour qu'on se croie au milieu de la forêt amazonienne ou, plus exactement, dans l'enceinte d'un biodôme !

À ma gauche, entre les lamelles verticales des stores de la chambre voisine, je distinguais la masse informe de Grannie Irma, sous un drap de flanelle. Qu'elle dorme encore toute la journée, si le cœur lui en dit ! ai-je songé, pas malheureuse à l'idée de ne plus me frotter à elle du reste de mon séjour...

Notre accrochage m'avait laissé un goût amer dans la bouche, d'autant plus que j'estimais que j'avais mal réagi. J'aurais dû lui clouer le bec, à cette harpie ! J'aurais dû lui faire comprendre une fois pour toutes qu'elle ne pourrait pas me traiter aussi cavalièrement que les trois dames de compagnie qu'elle avait poussées à bout ! J'aurais dû l'envoyer au diable quand elle a crié après moi au lieu de me réfugier dans ma chambre comme une chienne battue.

Ça suffit, les regrets ! Maintenant que j'avais fait l'expérience de son sale caractère, je comptais rectifier le tir. Elle verrait que je n'étais pas un tapis sur lequel on pouvait s'essuyer les pieds impunément !

Fière de ma résolution, je suis descendue manger. Dans mon cauchemar, dont quelques bribes refaisaient surface, j'avais couru pour échapper à des hommes qui me voulaient du mal. Toute cette gymnastique, même si je l'avais juste rêvée, m'avait creusé l'appétit.

De toute évidence, le chat partageait mes sentiments. Avant que j'aie posé le pied dans l'escalier, il m'avait précédé à la cuisine.

J'ai ouvert le garde-manger, en quête de nourriture pour lui. Je n'ai trouvé ni sac de croquettes ni boîte de conserve. De plus, je n'avais pas vu de bol, de litière ni de corbeille nulle part dans la maison.

Bizarre...

J'ai songé à l'hypothèse de Locita : se pouvait-il que le minou appartienne à la dernière dame de compagnie de Grannie ? Si oui, que faisait-il encore ici ? Ça n'avait aucun sens. Un chat errant alors ? Peut-être, mais comment était-il entré ?

Haussant les épaules, j'ai mis un peu de lait dans une assiette creuse, que j'ai failli renverser par terre en entendant le chat pousser un nouveau miaulement déchirant.

En reculant, j'avais piétiné sa queue par inadvertance.

L'animal a bondi vers la serre, puis il s'est retourné pour me lancer un regard plein de reproches. Je lui ai présenté de banales excuses et j'ai ensuite déposé le plat de lait sur le plancher, j'espérais ainsi acheter son pardon. Défiant, il a attendu que je m'éloigne avant de s'approcher, à petits pas, vers le bol.

Rancunier, le minet! «En tout cas, je sais maintenant quel nom te donner: Gare-à-ma-queue!»

Je l'ai regardé laper son lait un moment, puis j'ai entrepris de me préparer de quoi manger à mon tour. Il n'y avait cependant pas deux minutes que je lui avais tourné le dos qu'il avait disparu.

* * *

Après deux toasts et un bol de chocolat chaud, j'ai décidé d'aller faire un tour de vélo, histoire d'explorer les alentours. Le temps de rincer ma vaisselle, de monter m'habiller, et déjà je bondissais sur ma fidèle monture. Destination: la rue principale, où j'en profiterais pour faire quelques courses.

L'horloge du four indiquait tout juste neuf heures. Grannie Irma dormirait probablement jusqu'à midi. De toute façon, si le fait de se réveiller seule dans la maison lui causait du désagrément, tant mieux!

Un avion déchirait le bleu du ciel en laissant derrière lui une longue griffure blanche. C'était la première vraie belle journée de l'été, toute pleine de la lumière dorée du soleil.

Dans ces rues de l'ennui, je pédalais avec nonchalance. Des gamins jouaient au ballon. Un banlieusard sourcilleux s'affairait à tailler sa haie. Un couple soignait les fleurs de son parterre. Un autre repeignait les poutres de son perron.

Mon dédain de Montréalaise « pur béton » envers la vie de banlieue m'empêchait de trouver le moindre charme à mon nouvel environnement. Je me suis cependant réjouie d'apercevoir une piscine publique, me promettant d'y venir avant la fin de mon exil. Quelques brasses dans l'eau tiède m'aideraient sûrement à noyer mon ressentiment.

L'employé du magasin général a paru étonné de ne pas me connaître. Évidemment, les Noires n'étaient pas légion dans ce bled. Son attitude était à cent lieues de l'indifférence polie des caissiers et caissières des supermarchés de la grande ville. Il m'a saluée cordialement à ma sortie.

Une fois mon sac d'emplettes solidement attaché sur le porte-bagages de ma bicyclette, j'ai repris le chemin de chez Grannie Irma, un tantinet désappointée. Secrètement, j'avais espéré croiser le séduisant cycliste de la veille, que je considérais comme étant la seule attraction du coin digne de ce nom. Hélas, je ne l'ai vu nulle part !

J'ai pris mon temps pour revenir, mais je ne pouvais pas m'éterniser, avec les aliments périssables dans mon sac. Bientôt, je me suis retrouvée à proximité de l'affreuse maison qui, à mes yeux, ressemblait à un donjon.

Pour mon plus grand bonheur, l'objet de mes désirs se trouvait devant l'allée de la maison. Accroupi près de son vélo, il essayait de replacer la chaîne sur le dérailleur avant.

Je me suis approchée le plus silencieusement possible, histoire de le prendre par surprise.

— Salut, ai-je fait, banalement, en tempérant du mieux que je le pouvais l'excitation dans ma voix.

— Ah, c'est toi! a-t-il sursauté.

Apparemment, il ne s'attendait pas à ce que j'arrive derrière lui. Il avait attaché ses tresses derrière sa nuque et portait un costume semblable à celui de la veille, mais aux couleurs plus vives. Ce qu'il pouvait être sexy! Surtout, modérer mes ardeurs: pas question d'avoir l'air d'une groupie!

— Des problèmes, à ce que je vois?

— Rien de très grave, a-t-il dit dans son français cassé. C'est idiot: en voulant éviter une auto, j'ai freiné d'une seule main et ma chaîne a sorti...

— Et c'est arrivé juste devant chez moi! ai-je ironisé.

— *Yeah,* un drôle de hasard, a-t-il bafouillé, comme un gamin surpris la main dans le pot à biscuits.

J'étais très amusée par le hasard qui avait voulu que cet accident se produise à cet endroit précis.

— Je m'appelle Leïla, lui ai-je annoncé tout de go, en lui tendant la main.

— Moi, c'est Samuel.

Prononcé à l'anglaise, ça donnait «Sam-you-el». Il s'était redressé pour me faire face et, sans s'en rendre compte, il avait essuyé ses mains souillées d'huile sur les pans de son short. Je n'ai pu réprimer un éclat de rire. Constatant le dégât, Samuel a esquissé un sourire embarrassé qui m'a paru plus étincelant que le soleil.

Nous ne nous sommes donc pas serré la main, mais nous avons bavardé. J'en oubliais les provisions dans mon sac. Samuel m'a appris qu'il venait de Trinité et que, comme moi, il se trouvait ici contre son gré. Ses parents l'avaient envoyé passer quelque temps chez un oncle afin de l'éloigner de l'influence néfaste de ceux que son père appelait « ses mauvais compagnons ».

J'en étais à lui expliquer les raisons de mon exil personnel quand Grannie Irma m'a interrompue. Debout sur son perron, elle nous scrutait, Samuel et moi, de ses yeux venimeux. Redoutant un nouvel esclandre, je me suis excusée auprès de Samuel, invoquant le risque de perdre certains produits si je ne les mettais pas tout de suite au frais.

Il a offert de m'attendre, pour qu'on fasse ensuite une randonnée à bicyclette. Le poids du regard de Grannie Irma m'a empêchée d'accepter. Je me suis inventé des tâches urgentes qui m'occuperaient tout l'après-midi pour justifier mon refus. Le beau Samuel a paru déçu, mais nullement dupe. Il a réitéré sa proposition en me disant qu'on pourrait se reprendre une autre fois, ce à quoi je n'ai pas dit non. Puis nous nous sommes quittés.

Tendue, j'ai longé la maison pour aller remiser mon vélo dans la serre, me bornant à saluer de la tête Grannie Irma.

Tandis que je vidais mon sac sur le comptoir, elle m'a rejointe dans la cuisine. J'aurais tout fait pour éviter une dispute, mais la vieille chipie ne l'entendait pas ainsi. Les conserves ne vont pas sur cette étagère. On ne garde pas le pain au frigo. Les saucisses de cette marque ne sont pas mangeables. Et quoi encore?

— Si mon classement ne vous plaît pas, rangez-les donc toute seule, ces emplettes! me suis-je emportée, en poussant vers elle le sac d'épicerie.

Il n'en fallait pas plus pour qu'elle m'engueule comme la veille, me traitant d'« enfant mal éduquée » et de « garce sans manières ».

Je me suis blindée, lui faisant l'affront de mimer le mouvement de ses lèvres avec mes doigts.

— Tonnerre! rageait-elle. Attends que je rapporte à ton père à quel point tu manques d'égards à mon endroit et comment tu joues à la putain sous mon nez avec des inconnus! Hein, la raclée que tu vas recevoir!

— O.K., la ferme! ai-je crié, piquée au vif. Je vous rappelle que c'est moi qu'on a chargée de veiller sur vous, pas l'inverse. Quand j'aurai besoin d'un chaperon, je vous ferai signe.

Je ne redoutais pas vraiment la fessée promise. En dépit de sa sévérité proverbiale, Herbert n'avait jamais levé la main sur moi pendant toute mon enfance.

Mais je n'appréciais pas qu'elle mêle Samuel à notre querelle.

— C'est ça, crie après moi ! Mais attends que ton père revienne... Je lui dirai tout, tu peux compter là-dessus !

Voilà qu'elle récapitulait tous mes péchés, y compris le fait d'avoir laissé sur le plancher le bol de lait sur lequel elle avait failli trébucher. À l'entendre, je cherchais à la tuer. J'avais beau lui expliquer que j'avais mis le lait par terre pour le chat et que je l'avais ensuite oublié tout simplement, elle n'en démordait pas. D'abord, prétendait-elle, il n'y avait jamais eu de chat dans cette maison.

— Écoutez, si je voulais vous assassiner, je m'y prendrais mieux, soyez-en sûre !

De guerre lasse, j'ai quitté la cuisine, en direction de ma chambre.

— Jésus, Marie, Joseph ! Vous l'avez entendue, geignait-elle, les yeux tournés vers le ciel. Cette enfant veut ma mort ! Attends que ton père revienne, Nina Armand !

Je n'ai pas porté attention au fait qu'elle s'était trompée de nom. Rien ne m'étonnait de la part de cette mégère sénile. Pourtant, sa certitude de n'avoir jamais eu de chat sous son toit me tracassait. D'où venait alors celui qui m'avait réveillée ce matin et où était-il passé ?

Chapitre 5

Cessez-le-feu

Pendant le reste de la journée, Grannie Irma et moi avons pris soin de nous éviter. J'ai préparé deux repas, le premier aux alentours de midi, l'autre vers dix-huit heures. Chaque fois, elle a attendu que je quitte la cuisine avant de venir se servir et elle est retournée manger dans sa chambre. Tant mieux.

Tout l'après-midi, j'ai résisté à mon envie d'aller retrouver Samuel. Je ne voulais quand même pas qu'il me trouve collante. Savoir se faire désirer, voilà le secret de la séduction ! De toute façon, ma nouvelle chicane avec Grannie m'avait laissée amère, je n'aurais donc pas su me montrer sous mon jour le plus charmeur...

J'ai passé le plus clair de mon temps à lire, étendue sur mon lit. Plongée dans les pages de *Beloved* de Toni Morrison, les écouteurs de mon walkman enfoncés dans les oreilles, le volume au maximum, j'étais dans un cocon douillet, loin de toutes les mégères inapprivoisables !

En d'autres mots, Grannie Irma aurait pu pousser des cris d'agonie à s'en déchirer le larynx, je n'en aurais pas eu vent.

Après le repas du soir, j'ai voulu retourner à ma lecture, mais j'avais perdu le fil de l'intrigue. Ça se passait dans l'Ohio, au lendemain de la Guerre civile américaine. On y suivait les déboires d'une esclave enfuie dont la maison était hantée par le spectre de son bébé qu'elle avait tué pour lui épargner les humiliations et les chaînes...

Malgré le fait que cette histoire me passionnait, une migraine naissante nuisait à ma concentration.

J'ai refermé le bouquin et je suis demeurée allongée sur le ventre, les yeux fermés, à dodeliner de la tête au son de ma musique. J'ai bientôt éteint mon walkman, écœurée du délire érotico-absurde de Prince.

Anxieuse, j'ai erré dans la maison telle une âme en peine. J'entrais dans une pièce pour la quitter aussitôt. J'ouvrais et je refermais les armoires et le frigo sans rien y prendre. Je pensais à mon visiteur du matin, dont je n'avais pas revu ne serait-ce que le bout de la queue. J'en arrivais à croire que j'avais imaginé sa présence.

J'ai fini par échouer dans la pénombre du salon. Par la fenêtre, je regardais le crépuscule incendier la cime des collines à l'horizon. Les lampadaires de la rue s'allumaient un à un comme les bougies sur un gâteau d'anniversaire.

Machinalement, j'ai tendu la main vers le téléphone sur la table du salon, un ancien modèle à cadran.

Tant qu'à m'ennuyer, je préférais bavarder avec une copine, histoire de me rappeler qu'il existait encore un univers au-delà de ce sombre cachot. Comme de raison, aucune de mes amies n'était chez elle. Même Sandra, qui d'habitude n'ose pas faire un pas sans me demander quel pied avancer, était sortie pour la soirée. En soupirant, j'ai composé le numéro de la maison, désespérée au point que j'aurais volontiers discuté météo avec Jacky ou même avec Herbert! Après trois coups, Jacky a décroché. J'ai demandé à parler à Loce.

— Leïla? C'est toi, *sis...*?

Mon frère m'appelait toujours «*sis*», l'abréviation du mot anglais *sister*, pour faire comme les *rappers* noirs américains.

— Bien oui, qui croyais-tu...?

— J'ai failli ne pas te reconnaître. Je ne sais pas si c'est la ligne qui est mauvaise, on dirait que tu n'as plus la même voix.

En effet, la qualité de la transmission laissait à désirer, mais j'avais présumé que Jacky me parlait dans le récepteur du téléphone sans fil et qu'il se trouvait loin du poste.

— C'est peut-être l'appareil de Grannie, il a l'air assez vieux. Et alors, maman est là?

51

— Non. Papa et elle sont allés manger au restaurant avec les Carrier, je pense. Pourquoi ? Ça ne va pas ?

— Non, non, j'appelais juste comme ça...

— Excuse-moi, *sis*, a fait Jacky. Quelqu'un sonne à la porte. Je te reviens tout de suite.

J'ai attendu en me demandant pourquoi j'attendais. Après tout, lui et moi n'avions pas grand-chose à nous dire.

— C'est Sandra qui passait dans le coin, a dit mon frère en reprenant le récepteur. Tu veux lui parler ?

Il avait peine à dissimuler son amusement devant le fait que ma copine profitait de mon absence pour flirter ouvertement avec lui. Ils avaient la maison rien que pour eux... Qui sait si Jacky ne se laisserait pas tenter ?

— Non, je n'ai rien à lui dire. Je vous laisse. Bonne soirée.

— Ouais, toi aussi, *sis* !

J'ai dû me retenir pour ne pas raccrocher trop brutalement. Déjà que ce téléphone n'était pas dans le meilleur état. J'aurais dû me féliciter de voir Sandra agir enfin, comme je le lui recommandais depuis des mois. Au lieu de ça, j'enrageais à l'idée que cette petite sotte se distrayait avec mon frère, tandis que je me morfondais, seule dans un trou perdu.

Vraiment, il n'y a pas de justice ! Je me surprenais à souhaiter que Jacky repousse ses avances. Ce serait bien fait pour elle !

Si, au moins, j'avais eu la présence d'esprit de demander au beau Samuel le numéro de téléphone de son oncle...

La chaleur invraisemblable qui régnait toujours dans la maison m'incommodait. Sans doute stimulé par la frustration, mon mal de bloc se faisait plus intense. Je suis montée à la salle de bains, pensant que je trouverais dans la pharmacie un flacon d'aspirine.

À mon étonnement, j'ai constaté que les étagères derrière les miroirs coulissants au-dessus du lavabo étaient vides.

Je suis descendue au bureau de Doc Armand. Je n'y étais pas entrée la veille, mais j'espérais maintenant avoir plus de chance. La pièce empestait la poussière et les médicaments. Je suis allée directement à l'armoire aux parois vitrées où s'entassaient divers flacons de pilules. Fermée à clé. Décidément, quelqu'un, quelque part, m'en voulait...

En un éclair, je me suis rappelé que j'avais aperçu une petite clé qui semblait correspondre à la serrure de l'armoire. Dans un des tiroirs de la cuisine, si la mémoire ne me faisait pas défaut.

Je m'y suis traînée lentement, chaque pas résonnant dans mon crâne comme sur le cuir tendu d'un tam-tam.

Deux fois bingo! Mes souvenirs ne m'avaient pas trompée et il s'agissait effectivement de la bonne clé.

Une fois l'armoire ouverte, j'ai examiné les bouteilles une à une, m'efforçant de décrypter les inscriptions à demi effacées sur les étiquettes. J'ai vite repéré un flacon d'analgésiques.

Les comprimés, avalés sans eau, ont laissé un arrière-goût désagréable qui a ravivé des réminiscences de grippes d'enfance. « Si un remède n'a pas mauvais goût, il ne peut être efficace ! » avait l'habitude de blaguer Locita, au moment de me forcer à ingurgiter une de ses décoctions de sorcière.

Je m'apprêtais à refermer l'armoire lorsque Grannie Irma a fait irruption dans le bureau, crachant le feu à la manière d'un volcan.

— Mes amis, Léo, cette jeune fille veut me tuer, oui ! vociférait-elle, prenant à témoin son défunt mari. Qui t'a permis de venir fouiller dans le cabinet du Doc ! Ces produits ne sont pas pour les enfants !

— Aïe ! je n'ai pas cinq ans. Je suis capable de faire la différence entre de l'aspirine et du poison, probablement mieux que vous !

— Non mais, vous l'entendez ! Tu me dois le respect : nous n'avons pas gardé les cochons ensemble !

— Pas de doute là-dessus : vous les avez gardés toute seule !

Cette réplique m'a mérité une gifle. J'ai vu rouge sang. Pas question de tendre l'autre joue.

Au contraire, j'ai répliqué par une baffe de la même force qui a pris Grannie Irma au dépourvu.

Elle m'a dévisagée. Ses yeux arrondis par l'ébahissement se remplissaient d'eau. Réprimant sa colère et ses sanglots, elle a couru vers sa chambre, à une vitesse étonnante pour son âge.

J'ai regardé ma main, moi-même surprise par ma réaction. Déjà, le regret se substituait à l'agressivité. Certes, la vieille m'exaspérait, mais j'avais peut-être dépassé les bornes. J'anticipais la colère de mon père quand il apprendrait ce qui venait de se passer...

Je suis montée à l'étage, dans l'espoir de réparer les dégâts. Dans l'escalier, j'entendais Grannie Irma hoqueter. J'ai cogné à sa porte. Elle n'a pas répondu. J'ai ouvert. Au pied de son lit, emmitouflée dans son couvre-lit comme un bébé boudeur, elle sanglotait.

Mal à l'aise, je me suis assise sur la moquette à ses côtés. Je ne savais pas trop quoi lui dire.

Elle marmottait en créole à propos de Nina. J'ai posé une main sur son épaule, mais elle s'est dérobée à mon toucher. J'ai insisté. Elle me regardait de biais. Les larmes inondaient les rides qui sillonnaient son visage.

— Je suis désolée, Grannie, je n'aurais pas dû...

— Non, c'est moi qui suis désolée, ma belle enfant... Si tu savais comme je suis désolée, Nina...

Elle se trompait encore de nom. Je lui ai empoigné le menton et, doucement, mais fermement, je l'ai forcée à se tourner vers moi.

— Hé, c'est moi : Leïla, la fille de Herbert. Pas Nina.

— Pas Nina, a-t-elle bredouillé.

Une lueur de lucidité a éclairé son regard embrumé.

— Nina est morte, ai-je ajouté, déterminée à secouer sa torpeur.

— Morte, a-t-elle répété, comme si elle cherchait à apprivoiser le mot. Il y a longtemps... Morte par ma faute !

Elle s'est remise à pleurer de plus belle.

Une bouffée de tendresse m'a envahie. Je me suis penchée pour poser mes lèvres sur ses joues froissées par les ans.

J'aurais aimé pouvoir faire quelque chose pour elle, mais quoi ?

J'ai enroulé son bras lourd autour de mes épaules. M'improvisant béquille, je l'ai aidée à se relever pour qu'elle puisse prendre place sur le lit. Une fois bordée, Grannie n'a pas tardé à s'endormir. Ses paupières se sont graduellement alourdies, sa respiration s'est faite plus calme, plus profonde.

Je suis demeurée un moment à son chevet, franchement décontenancée. Puis je l'ai laissée à ses rêves...

Chapitre 6

Rêve de fièvre

Il se faisait tard. Le silence avait repris possession de la maison. Dans ma chambre, je me suis déshabillée, ressassant les paroles de Grannie Irma. Le mystère qui entourait sa fille commençait à m'agacer royalement. Je me promettais de cuisiner Loce à ce sujet : il fallait que je sache...

Avec la chaleur, je ne croyais pas pouvoir m'endormir aussi aisément que Grannie. Je suis retournée à mon livre et à mon walkman, pour tuer le temps. Mais l'appareil refusait de fonctionner. J'ai eu beau le secouer, manipuler les boutons du volume et de l'alimentation, peine perdue ! Impossible que les piles soient à plat : je les avais achetées avant-hier.

J'ai songé à la proverbiale loi de Murphy : quand il y a le moindre risque que quelque chose tourne mal, on peut être sûr que ça tournera mal...

Résignée, j'ai déposé mon walkman sur la table de chevet et j'ai pris le chemin du coin-lecture. Les disques de Grannie remontaient peut-être au déluge, mais je préférais la musique démodée au silence étouffant de la maison.

J'ai choisi un microsillon de Nat King Cole simplement parce que quelques-uns des titres m'étaient familiers depuis qu'ils avaient été remis à la mode par la fille du célèbre chanteur. Évidemment, le son ne possédait pas la pureté cristalline des enregistrements numériques et les arrangements des chansons ne ressemblaient en rien à ceux des versions modernes. Comme disait Locita, à cheval donné on ne regarde pas la bride...

Et puis, dois-je l'avouer, je trouvais un charme vieillot à ces chansons. Comme de raison, il y était surtout question d'amour, un amour fou, sincère, éternel et parfois un peu bébête.

Mais la voix de Nat King Cole, sensuelle et grave, tendre et amère, me subjuguait. Allez savoir pourquoi : elle me rappelait ce punch traditionnel, fait de sirop de canne, de jus de lime et de rhum, dont Herbert me servait parfois un petit verre, lorsqu'il était de bonne humeur.

Envoûtée, j'ai abandonné mon livre pour me laisser bercer par cette voix. Ma migraine revenait me presser le crâne par à-coups, mais j'hésitais à aller prendre d'autres comprimés.

D'abord, je redoutais une nouvelle engueulade avec Grannie si je retournais fouiller dans le bureau du

Doc. Ensuite, je ne voulais pas me lever et rompre l'enchantement de la musique.

Je couvais sûrement une grippe. Flottant entre deux eaux, je me projetais au dos de mes paupières un film nono auquel les chansons de Nat King Cole faisaient office de trame sonore.

L'une d'entre elles, en particulier, constituait le leitmotiv de ma ciné-romance. Intitulée *I've Grown Accustomed to her Face*, elle parlait d'un gars «sereinement indépendant» qui «s'accoutumait au visage» de sa bien-aimée au point de ne plus pouvoir se passer d'elle.

Ai-je besoin de spécifier que la distribution de mon navet comprenait le beau Samuel dans le premier rôle?

Un miaulement est venu m'arracher à la suave mièvrerie de mes fantasmes.

Gare-à-ma-queue?

Rouvrant les yeux, j'ai constaté que le rez-de-chaussée était plongé dans une obscurité goudronneuse.

Pourtant, je ne me rappelais pas avoir éteint...

Le chat a miaulé de nouveau. À tâtons, j'ai cherché le rhéostat de la lampe sur pied derrière mon fauteuil. J'ai tourné le bouton dans les deux sens, encore et encore, sans résultat.

J'ai d'abord pensé qu'il y avait une panne d'électricité. Mais non: si tel avait été le cas, la chaîne stéréo se serait tue, elle aussi. Or, au contraire, Nat King Cole reprenait pour la énième fois le refrain de *I've Grown Accustomed to her Face*. Probablement qu'un fusible avait sauté...

J'ai attendu que mes yeux s'habituent au noir avant de me lever. Le miaulement, plus insistant, semblait venir du jardin d'hiver. J'ai avancé précautionneusement et, malgré cela, je me suis heurté le genou contre le coin de la table du salon. Réprimant un juron, j'ai appuyé ma paume sur le mur du couloir pour qu'il me serve de repère et j'ai continué vers la serre.

Comme je l'avais supposé, Gare-à-ma-queue se trouvait dans le jardin d'hiver, au centre de l'îlot de lumière blême que découpait par terre la clarté du dehors. Ses pupilles brillaient d'un éclat irréel. En me voyant approcher, le chat a arqué le dos et retroussé les babines pour me signifier de garder mes distances. La surprise m'a paralysée un instant.

— Voyons, qu'est-ce qui te prend ?

Au salon, Nat King Cole reprenait inlassablement sa rengaine. De toute évidence, le chat, lui, ne s'était pas «accoutumé à mon visage».

Il agitàit sa queue nerveusement. J'ai fait un pas de plus vers lui. Gare-à-ma-queue a reculé vers la porte du patio. Le poil hérissé, il sifflait et feulait, comme si j'étais sa pire ennemie ! «Dis donc, on a la mémoire courte, ingrat : c'est moi qui t'ai nourri, ce matin !»

J'ai avancé encore, mais le chat s'est détourné et s'est élancé dans l'entrebâillement de la porte du patio.

Il bondissait vers un rectangle de lumière orangée plaqué sur la masse sombre et dense du sous-bois au fond de la cour.

Intriguée, j'ai voulu suivre la bête, mais je me suis frappée sur un mur invisible. Il m'a fallu un moment pour revenir de mon ahurissement. Je m'étais simplement cogné le nez à la moustiquaire. En plissant les paupières, je pouvais même apercevoir l'endroit précis de l'impact, où la toile s'était déchirée.

Contrariée, j'imaginais l'engueulade que j'aurais avec Grannie à ce sujet. J'ai haussé les épaules, philosophe.

Mais le chat ? Comment avait-il pu traverser la moustiquaire sans la déchirer ?

Immobile au milieu de la cour, Gare-à-ma-queue s'était retourné vers moi pour miauler. On aurait dit qu'il m'invitait ou, plus exactement, qu'il me mettait au défi de le suivre.

J'ai écarté le cadre de la moustiquaire pour sortir à mon tour. Le cœur de la nuit palpitait, remuant un courant d'air empesé par la chaleur et les murmures de l'été.

À l'autre bout de la cour, le rectangle lumineux se précisait : une porte ouverte sur une pièce éclairée par la lueur vacillante d'une flamme. Le chat s'y est précipité en trois bonds.

Je me suis engagée à sa suite. Au fur et à mesure que j'approchais, la silhouette d'une petite dépendance se détachait de plus en plus nettement de l'obscurité environnante. Comment était-ce possible ? Il n'y avait ni remise ni pavillon dans le jardin de Grannie...

Je rêvais, voilà ! Je m'étais tout simplement endormie dans mon fauteuil au son des ballades de Nat King Cole et je ronflais, le roman de Morrison ouvert sur mon ventre...

Non. J'étais bel et bien éveillée. Tout cela avait à la fois l'apparence onirique d'un rêve et les qualités concrètes de la réalité.

Bientôt arrivée devant la maisonnette, j'ai tendu une main. Mes doigts ont touché le mur. À ce contact rugueux, j'ai frissonné. La peur s'insinuait dans mes veines comme un venin glacé.

Poussée par je ne sais quelle audace, j'ai continué à avancer. Deux pas de plus et j'étais dans l'embrasure de la porte, accueillie par des effluves fortement épicés. J'ai reconnu l'odeur du potage au gombo.

J'ai porté une main à mes yeux, pour me protéger de la lumière.

La langue de feu d'un four à gaz léchait tout le tour d'une marmite en fonte noire, éclaboussant les murs de la cuisinette d'ombres pâlottes.

Devant le four en émail se tenait une petite femme, serrée dans une robe-soleil fleurie et coiffée d'un fichu mauve. Affairée à remuer le contenu du chaudron avec une cuiller en bois, elle tentait de repousser du pied droit le chat qui s'était enroulé autour de sa cheville gauche.

— Vous arrivez à temps pour prendre votre chat, mam'zelle, m'a-t-elle dit dans un français chantant, sans tourner la tête vers moi. Vous savez combien le Doc est pointilleux sur les questions d'hygiène : s'il a le malheur de trouver un poil dans son bol, je devrai me chercher un autre emploi.

Je suis restée bouche bée. La domestique s'est tournée vers moi. Son visage chocolat noir, agrémenté par un sourire lumineux, m'a semblé familier. Pourtant, j'ignorais qui elle pouvait être. Elle, au contraire, s'adressait à moi avec camaraderie, comme si nous nous côtoyions depuis des années. Elle a ajouté :

— Oh, pourriez-vous demander à votre mère où il faut servir le repas à midi ?

Décontenancée, je n'osais toujours pas répondre. Le chat par terre multipliait les cajoleries sur le mollet de la femme. Cédant à la panique, j'ai fait un pas en arrière et j'ai failli trébucher sur un caillou. Mes gestes devenaient pénibles et maladroits, comme si je perdais graduellement la maîtrise de mes membres.

Je me suis retournée, ébahie d'apercevoir à mes pieds de la terre battue au lieu du gazon.

J'ai secoué la tête, groggy. Telle une vague qui se retire du rivage, le tapis vert de pelouse reculait sous mes yeux, laissant derrière lui un sol terreux, lézardé par la sécheresse.

La maison de Grannie s'éloignait vers un point de fuite imprécis, pour céder la place à un autre décor.

La nuit s'éclipsait brusquement et le ciel s'emplissait d'explosions lumineuses.

La migraine menaçait de me faire éclater le crâne.

Je devais retourner à la maison au plus sacrant, sinon je ne le pourrais plus jamais, ai-je songé, au bord des larmes.

J'ai essayé de courir, mais mes jambes refusaient d'obéir. Mes mouvements étaient ralentis comme les images des reprises dans les matchs de hockey télévisés. Mes muscles me donnaient l'impression de vouloir se déchirer.

Plus je m'efforçais d'accélérer la cadence, plus la pelouse s'éloignait. J'avais de plus en plus peur de ne jamais pouvoir la rattraper, de demeurer pour toujours prisonnière de ce rêve de fièvre.

Soudain, quelqu'un ou quelque chose a tiré le tapis de la réalité sous mes pieds. J'ai chancelé, les deux décors superposés ont basculé autour de moi, j'ai papillonné vainement des bras et mon menton a heurté durement le sol.

Je crois avoir momentanément perdu connaissance. J'avais la sensation de flotter en dehors du monde, dans un non-espace dénué de sons, de couleurs et de matière, comme si on m'avait évacuée de mon propre corps.

Je n'aurais pas pu évaluer le temps qui s'était écoulé entre ma chute et l'instant où j'ai rouvert les yeux, craintive. À mon grand soulagement, j'ai retrouvé autour de moi le décor rassurant de la propriété de Grannie Irma.

Péniblement, je me suis relevée. Mon mal de tête s'était amoindri, mais mes os me faisaient souffrir atrocement. On aurait dit que quelqu'un s'était amusé à désassembler mon squelette en entier pour ensuite le remonter, tel un puzzle.

Derrière moi, j'ai entendu un appel, une plainte lointaine.

Le chat!

J'ai fait volte-face. Réprimant mes frissons, j'ai scruté longuement le terrain enténébré du jardin, sans trouver la trace de Gare-à-ma-queue. C'était à n'y rien comprendre...

Partagée entre le malaise et la frayeur, j'ai préféré rentrer avant que le cauchemar m'engloutisse de nouveau.

De retour dans la serre, j'ai refermé la moustiquaire et la porte du patio, espérant interdire l'accès de la maison au délire qui m'avait possédée. Car, je voulais m'en persuader, j'avais été la victime d'une hallucination.

Rien d'autre.

Résolue à trouver une explication logique à cette expérience, j'en ai attribué la cause aux comprimés avalés plus tôt.

Peut-être la date d'échéance des pilules était-elle dépassée ? Peut-être ne s'agissait-il pas d'analgésiques comme le laissait croire l'étiquette... ?

Ces hypothèses ne tenaient pas debout, pas plus que moi d'ailleurs, mais je m'en contenterais pour l'heure.

Chancelante, je suis retournée au salon. Sous l'éclairage crépusculaire de la lampe sur pied, j'ai aperçu mon bouquin qui traînait sur le tapis devant le fauteuil. Depuis combien de temps Nat King Cole s'était-il tu ? Sur le tourne-disque, la tête de lecture était rendue au bout et l'aiguille se cognait à l'étiquette du disque en émettant de petits tics à intervalles réguliers.

Je n'avais pas le cœur à faire le ménage, alors tant pis pour les récriminations de la vieille. Je me suis contentée de replacer le bras de l'appareil sur son support avant de l'éteindre.

Chapitre 7

Le calme après la tempête

Cette nuit-là, j'ai rêvé d'une maison envahie par les ombres, livrée aux caprices d'hommes frustes et barbares. Dans ce nouveau cauchemar, je courais encore dans un couloir biscornu et vibrant d'échos lugubres pour échapper à ces brutes. Toutes les portes du corridor étaient verrouillées. Je savais qu'il y avait des gens dans les chambres et qu'ils refusaient de m'ouvrir, trop effrayés par mes poursuivants. Je m'époumonais à les supplier de m'aider, mais personne n'osait répondre. Éveillée abruptement par la sonnerie du téléphone, j'ai dévalé les marches trois par trois. Dans ma hâte d'atteindre l'appareil, je me suis frappé le petit orteil à une plinthe. Un juron entre les dents, j'ai sauté à cloche-pied jusqu'au comptoir. En décrochant le récepteur, j'ai failli arracher le téléphone mural.

— Allô ? ai-je dit sur un ton rageur.

— On s'est levée du mauvais pied ce matin, jeune fille ! a fait Locita.

— Tu ne croyais pas si bien dire, ai-je approuvé, grincheuse, en massant d'une main mon orteil endolori.

J'en rajoutais un peu. Au fond, entendre la voix de ma mère atténuait ma douleur et me remplissait de joie. Si seulement j'avais pu me serrer contre elle, oublier ma colère et redevenir une petite enfant.

— Qu'est-ce que tu veux dire ?

Ce que je voulais dire ? Je voulais dire que j'aurais beau faire des pieds et des mains pour m'entendre avec Grannie Irma, peine perdue ! Que la vieille était bête comme ses pieds ! Qu'avec elle on avait toujours l'impression de se mettre les pieds dans les plats ! Jouer les gardiennes, c'était loin d'être le pied !

J'en avais assez, voilà pourquoi je m'étais levée du mauvais pied !

J'ai gardé pour moi cette déclinaison podologique. Inutile de casser les pieds de ma mère avec mon calvaire !

— Ça va ? m'a-t-elle demandé avec cette compassion qui me la rend si difficile à détester.

— Presque bien. Vu les circonstances...

— Tu es sûre ? Jacky a trouvé ta voix bizarre, hier soir. Maintenant que je l'entends, il me semble qu'elle est un peu enrouée effectivement. Tu as attrapé froid ?

68

Du Jacky tout craché ! En deux minutes, il avait eu le temps de diagnostiquer une maladie mortelle. Est-ce que moi, j'étais du genre à me lamenter pour le moindre bobo comme ce fils à papa ?

— Attrapé froid ? Au contraire, Loce ! Si tu savais comme il fait chaud ici... Une vraie fournaise ! Il manque seulement Lucifer et ses hordes de démons pour me convaincre que vous m'avez condamnée à une saison en enfer !

— Espérons que ça t'apprendra à être plus obéissante !

Loce et moi avons ri de bon cœur. Parler, rigoler avec elle me faisait énormément de bien. En dépit de tout le mal que je pouvais en dire quand j'étais fâchée, j'adorais ma mère et je savais cette affection réciproque. Depuis quelques années, nous n'étions plus aussi proches l'une de l'autre, mais je n'ai jamais douté qu'elle soit toujours là pour m'épauler, quoi qu'il arrive. Ce soutien inconditionnel, c'était déjà beaucoup.

Nous avons continué à parler sans compter les minutes. Je lui ai raconté les frictions entre la vieille et moi, en oubliant délibérément de mentionner notre échange de gifles. Locita a dit qu'elle comprenait ma difficulté à m'accorder avec Grannie Irma.

— Tu sais, je ne me suis jamais vraiment entendue avec la famille de ton père, m'a-t-elle avoué. Des têtes de bourriques ! Ce doit être héréditaire : en tout cas, ça expliquerait d'où tu tiens ton caractère !

— Très drôle, maman.

Notre conversation a continué sur un tas de sujets qui n'avaient pas de rapport entre eux. J'en oubliais mon orteil. De l'endroit où je me tenais dans la cuisine, je pouvais, par la fenêtre au-dessus de l'évier, apercevoir la cour arrière, faussement paisible sous un ciel gris. Il n'en fallait pas plus pour raviver le souvenir de mon hallucination...

J'aurais aimé en discuter avec Locita, mais mon orgueil me l'interdisait : pas question de passer pour la fillette peureuse et impressionnable d'autrefois. Elle s'imaginerait que j'inventais tout ça pour les inciter, elle et mon père, à venir me chercher.

Je n'ai donc rien dit et, bientôt, Locita a fait mine de mettre un point final à notre bavardage. Sa pause café achevait et elle devait retourner à ses clients. Je me suis alors rendu compte qu'il était onze heures passées ! Ça, pour une grasse matinée... Avant de conclure, Locita m'a lancé une pointe à propos de Samuel.

— Sois sage quand même. Et cesse de regarder les fesses des garçons...

L'insinuation m'agaçait. Pour qui Loce me prenait-elle ? Pour Sandra ?

Nous avons échangé des baisers téléphoniques, puis nous avons raccroché. Mon plaisir s'est dissipé presque aussitôt. Pendant quelques instants, j'ai tourné en rond dans la cuisine, sans me résoudre à manger, incapable de me détacher de mon malaise.

Il s'était mis à pleuvoir des clous. On aurait dit que la température cherchait à s'accorder avec mon remous intérieur. Un véritable orage tropical, avec éclairs et coups de tonnerre pour faire plus dramatique. Le vent hurleur poussait des giclées d'eau contre les carreaux, si violemment que j'avais peur de les voir voler en éclats.

J'ai jeté un coup d'œil sur l'escalier, puis sur le coin-lecture, me disant qu'il me faudrait ramasser les disques que j'avais déplacés si je ne voulais pas souffrir les récriminations de Grannie.

La pluie a duré toute la matinée.

* * *

Au début de l'après-midi, étonnée de n'avoir pas entendu Grannie, je suis allée frapper. Je l'ai appelée à deux reprises, sans résultat. J'ai voulu entrer, mais elle avait verrouillé sa porte. Qu'elle ait persisté à dormir, tandis que l'orage secouait sa maison des fondations au grenier, me dépassait.

J'ignorais si elle avait mangé, mais j'ai mis de côté au frigo un peu de la salade de macaroni au thon que je m'étais préparée. J'ai ensuite sorti mon vélo. Je voulais profiter de l'accalmie, dehors, pour aller acheter des piles pour mon walkman.

Ma migraine de la veille avait régressé jusqu'à n'être plus qu'une infime douleur au milieu de la nuque. J'avais décidé de pédaler fort, de rouler vite, dans l'espoir que

71

ce dard enflammé se délogerait de ma chair, qu'il se noie dans l'une des flaques le long de l'accotement.

Sur le terrain de stationnement du magasin général, j'ai aperçu un groupe de jeunes Noirs qui avaient à peu près mon âge. Attroupés autour d'une berline américaine des années soixante-dix, du genre Batmobile, ils mêlaient leurs voix et leurs rires aux sons tonitruants de la musique hip-hop qui s'échappait de la voiture.

J'ai reconnu parmi eux mon Adonis-sur-roues et, du coup, j'ai failli tomber de mon vélo. Mon équilibre retrouvé, j'ai fait semblant de ne pas avoir remarqué Samuel, même si, du coin de l'œil, je le voyais regarder avec insistance dans ma direction. J'ai cadenassé ma bicyclette contre un parcomètre et je suis entrée dans le magasin.

En ressortant, les piles en main, j'ai continué à ignorer les efforts que déployait Samuel pour attirer mon attention, au grand amusement de ses compagnons. Comme si de rien n'était, j'ai rouvert le cadenas de mon vélo. Sourd aux railleries de ses amis, Samuel a pédalé jusqu'à moi.

— Hé, on est devenue snob *or what?*

— Ah, Samuel! ai-je dit avec une fausse candeur. Je ne t'avais pas vu.

Je me suis efforcée de ne rien laisser paraître de la joie qui m'emplissait à l'idée qu'il s'était déplacé pour me parler. Mahomet n'a pas à aller vers la montagne, la montagne viendra à lui, comme dit Loce. Les commentaires de ses copains à mon sujet me passaient dix pieds par-dessus la tête. Que m'importaient leurs âneries : ma victoire n'en était que plus savoureuse.

— C'est qui, ces gars-là ? Les fameux « mauvais compagnons » dont ton père voulait t'éloigner ?

— *Yeah,* a-t-il dit, agacé. Nelson a emprunté l'auto de son frère pour venir me voir.

— Ah bon !

Mal à l'aise, il a hésité un moment, ne sachant plus quoi dire. À l'autre bout du terrain de stationnement, ses camarades se moquaient de le voir à ma merci.

— Et comme ça, tu te promènes...

— Comme tu vois.

Un autre silence pénible, ponctué par les blagues de ses acolytes.

— Je suis contente que tu sois là, mais je ne voudrais pas te priver de tes copains.

— Ça va, ils étaient sur le point de repartir, m'a-t-il assuré. Si tu veux, on pourrait la faire maintenant, cette balade.

J'ai haussé les épaules en souriant, comme si son offre ne me faisait ni chaud ni froid. Je suis montée en selle, mais je n'ai pas bougé. Samuel a pris mon immobilité pour un signe de consentement. Il est retourné à la Batmobile pour prendre congé de ses visiteurs, puis il m'est revenu.

Jusqu'à la fin de l'après-midi, nous avons flâné dans les rues encore mouillées. C'était l'occasion en or pour faire plus ample connaissance. Nous roulions lentement, sous prétexte d'apprivoiser le paysage, mais en réalité nous n'avions d'yeux que pour l'autre.

— Pourquoi tu me dévisages comme ça ?

— Il m'avait devancée. Je m'apprêtais à lui poser la même question.

— Ça te gêne ? Est-ce que tu vas rougir ?

— Tu rêves en couleurs, a-t-il rigolé. C'est juste pour savoir.

— C'est parce que tu ressembles à un de mes anciens *chums*, lui ai-je avoué.

— Alors, ça tombe bien, a-t-il répliqué, visiblement flatté. Toi, tu ressembles à une future *girlfriend* !

D'habitude, rien ne me déplaisait plus chez un garçon que la suffisance. Mais Samuel avait lancé cette repartie avec tellement de naturel que je n'ai pas pu m'empêcher de m'esclaffer.

— *You're cute*, lui ai-je concédé, dans sa langue.

— J'étais enchantée. Cette rencontre imprévue — mais tant espérée — avait mis un peu de soleil dans la grisaille de ma journée.

Hélas, toute bonne chose a une fin, selon un vieil adage bêtement vrai. Il était près de dix-huit heures et mon père m'avait envoyée ici pour m'occuper de Grannie Irma d'abord et avant tout.

Adieu, romance... ou à la prochaine, de préférence.

Samuel m'a raccompagnée en vélo. En passant devant la piscine publique, nous nous sommes juré de nous y tremper un de ces jours. Dans l'allée de la maison de Grannie, je lui ai tendu la main. Il l'a serrée et m'a attirée vers lui. Il m'a embrassée à la sauvette et plutôt gauchement.

« Mon beau, il faudra faire mieux pour me conquérir », ai-je songé tandis qu'il s'éloignait.

Évidemment, ce n'était que partie remise...

Chapitre 8

S'accoutumer à son visage

Je me suis précipitée à la cuisine pour engloutir deux verres d'eau glacée. Encore une fois, le contraste entre la température plutôt fraîche de l'extérieur et la canicule en dedans me stupéfiait. Voilà qui donnait un sens nouveau au mot « microclimat ».

J'étais un peu étourdie. Le baiser de Sam, quoique maladroit, m'avait fait tout drôle, mais bon, ce n'était quand même pas la première fois qu'un gars m'embrassait... Non, il y avait autre chose, ce vertige sournois, ce malaise sans nom qui me possédait dès que je mettais les pieds dans la maison de Grannie Irma. Probablement l'effet combiné de la chaleur et de la fatigue, ai-je présumé. Et puis, à cela je devais ajouter la faim qui commençait à se faire sentir...

En prenant la brique de cheddar dans la porte du frigo, j'ai remarqué que Grannie Irma n'avait pas touché à la salade de nouilles que je lui avais gardée. J'ai disposé dans une assiette creuse un peu de fromage coupé en dés, des olives, quelques juliennes de céleri, de carotte, de poivron et une poignée de cure-dents.

Le hors-d'œuvre dans les mains, je suis montée à l'étage en fredonnant *I've Grown Accustomed to her Face.*

Je n'entendais pas le moindre bruit en provenance de la chambre de Grannie Irma. Se pouvait-il qu'elle dorme encore ? Ce n'était pas une vieille dame alors, mais une ourse en avance ou en retard sur sa saison d'hibernation. Étant donné son sale caractère, fallait-il préciser une ourse mal léchée ?

J'ai hésité avant de frapper. Au moins, quand elle dormait, il n'y avait pas de danger de se chicaner...

J'ai cogné malgré tout. Je ne voulais pas qu'on m'accuse de l'avoir laissée mourir d'inanition.

— Grannie ? Grannie, il est dix-huit heures. Il faudrait penser à manger...

Pas de réponse.

Je la savais plutôt dure d'oreille, alors j'ai frappé un peu plus fort à la porte et j'ai haussé la voix pour réitérer mon invitation.

Toujours rien.

Et si elle était morte dans son sommeil ?

J'ai tourné la poignée de la porte. Verrouillée, comme de raison. Un peu paniquée, j'ai déposé l'assiette de crudités par terre pour me libérer les mains. À l'aide d'un cure-dent, j'ai réussi à ouvrir la porte.

Aucune trace de Grannie! Chose étonnante, elle avait fait son lit, ramassé ses vêtements qui traînaient de part et d'autre, fermé les stores. À vrai dire, cet ordre impeccable contrastait avec la pagaille de la veille, à tel point qu'on aurait cru que la pièce n'était plus habitée depuis des jours.

J'ai écarté les lamelles du store, le temps de jeter un coup d'œil sur la cour. En tout cas, elle n'était pas dehors... à moins qu'elle ne soit disparue dans la dépendance que j'avais visitée en rêve!

J'ai inspecté le fond de la penderie, pour voir si la vieille ne s'y était pas réfugiée; mais non. Où était-elle passée? Un véritable mystère de chambre close, comme dans les romans policiers.

— C'était sa chanson préférée, a soudain fait une voix derrière moi.

— Grannie! ai-je sursauté en me retournant.

Quelle métamorphose! J'ai failli ne pas la reconnaître.

Lavée, coiffée, maquillée et vêtue dignement, elle avait retrouvé la prestance que je lui avais connue autrefois. De même, elle semblait avoir regagné un peu de sa vitalité, sinon de sa jeunesse d'antan.

— Vous m'avez fait peur! Mais où est-ce que vous étiez?

— À la salle de bains, a-t-elle répondu, banalement.

Puis elle a renchéri:

— La chanson de Nat King Cole que tu fredonnais, c'était sa préférée... Je lui avais acheté ce disque pour ses douze ans...

Elle parlait de Nina. Je ne savais pas pourquoi, mais l'évocation de sa fille me donnait la chair de poule. Je commençais à la craindre, de la même manière que, fillette, je redoutais les loups-garous et autres croquemitaines que mes parents invoquaient pour m'inciter à être sage.

— Vous n'avez rien mangé depuis ce matin, ai-je bredouillé, pressée de changer de sujet. J'étais venue vous demander s'il y avait quelque chose dont vous auriez envie en particulier...

— J'étais à la fenêtre, a-t-elle enchaîné, sans se soucier de mes paroles. Je t'ai vue embrasser ce garçon, toi qui es encore une enfant... Tu n'as pas honte ?

À ces mots, je me suis crispée. Je voulais bien mettre un peu d'eau dans mon vin et me montrer plus patiente, comme me l'avait conseillé Loce, mais il ne fallait quand même pas me chercher... Résolue à ne pas m'emporter, j'ai réussi à répondre calmement :

— Écoutez, Grannie, on en a déjà parlé. Je suis ici pour vous tenir compagnie, mais ça ne vous autorise pas à vous mêler de mes affaires. J'aurai bientôt dix-sept ans, je suis assez vieille pour savoir comment me comporter avec les garçons !

Elle m'a considérée à la fois avec étonnement et

indignation, puis elle a esquissé un sourire tendrement moqueur.

— Tu es vraiment pareille à elle. Même arrogance, même fierté...

Encore cette comparaison ! Je commençais à en avoir vraiment marre. Peut-être avais-je l'impression que ces allusions à mon sosie décédé visaient à démontrer que je n'avais pas d'existence propre. Mais à quoi bon entrer en compétition avec une morte ?

Grannie Irma n'en finissait plus de sourire. Sans rien dire, elle a pris ma main et m'a entraînée avec une douceur presque effrayante hors de sa chambre, jusqu'au coin-lecture.

— Je regrette de t'avoir ôté mes albums des mains si violemment, l'autre soir. Si tu veux, on peut les regarder ensemble...

Je n'étais plus certaine d'en avoir le goût, mais il y avait une telle insistance dans sa voix que je n'avais pas le cran de lui refuser quoi que ce soit.

Grannie a pris les albums dans la bibliothèque, me les a tendus, puis a remis *I've Grown Accustomed to her Face* sur le tourne-disque. Nous nous sommes installées sur les bancs devant le comptoir. Au son de la voix riche et sensuelle de Nat King Cole, elle m'a offert une visite guidée du musée photographique de sa mémoire.

Au début, j'éprouvais un léger malaise, lié à l'hallucination que j'avais eue en écoutant ce disque. Cependant, charmée par les anecdotes cocasses qui accompagnaient chaque portrait, j'ai réussi à me détendre.

Nous en sommes vite arrivées à un album dont la majorité des photos représentaient Herbert et Nina enfants. Sur celles-ci, mon père d'habitude si grognon affichait un sourire éclatant.

— Ton père et elle étaient inséparables, m'a expliqué Grannie Irma, émue. De l'âge de dix ans à quinze ans, ces deux-là s'aimaient tant qu'ils ne pouvaient souffrir d'être éloignés l'un de l'autre plus d'une journée. Pendant les vacances, mon petit Herbert n'hésitait pas à monter à pied du bas de la ville jusqu'à notre maison dans les collines, pour voir sa bien-aimée Nina.

— Je ne savais pas Herbert romantique à ce point-là. S'il l'est encore aujourd'hui, le moins que je puisse dire, c'est qu'il cache drôlement bien son jeu...

— De la poudre aux yeux, tout ça! Ton père était amoureux fou de Nina, comme il le deviendrait de ta mère par la suite, au grand soulagement de mon cher Doc...

— Pourquoi? Votre mari et mon père ne s'entendaient pas?

— Non, ce n'est pas ça. Léo trouvait juste que Herbert était trop souvent fourré chez nous. D'ailleurs, quand le petit arrivait, le Doc l'accueillait toujours avec la même question: «Dis-moi donc, ti-garçon, tu n'as pas de maison?» Léo voyait d'un œil suspect leur relation. Surtout après la fois où Herbert et Nina ont...

mais je ne sais pas si je devrais te raconter ça. Herbert m'en voudrait peut-être...

La perspective d'apprendre un secret honteux de mon père m'émoustillait au plus haut point ! J'ai encouragé Grannie à faire fi de ses scrupules, si bien qu'elle s'est laissée aller à l'indiscrétion.

— Une fois, oh, ils avaient au maximum douze ans, Léo a surpris Herbert et Nina dans la chambre de celle-ci. Au lit, nus comme des vers, ils jouaient aux jeunes mariés...

En recomposant mentalement cette image, je n'ai pu m'empêcher de pouffer de rire.

— Vous me faites marcher ?

— Non, je t'assure. Hauts cris du Doc. Menaces d'appeler les gendarmes. Jurons. L'apocalypse, rien de moins !

— Et vous, qu'est-ce que vous avez fait ?

— D'abord, j'ai calmé mon mari en attendant que les enfants se rhabillent. Ensuite, doucement, je leur ai expliqué qu'ils étaient trop jeunes pour ces jeux-là et que, de toute façon, étant parents, ils ne pourraient pas se marier.

Sur la chaîne stéréo, Nat King Cole entonnait une chanson tout à fait à propos intitulée *Too Young*. Elle était bonne, celle-là ! Je savourais à l'avance le moment où j'évoquerais cet incident pour clouer le bec à mon père s'il lui revenait l'envie de me sermonner sur mon comportement avec les garçons.

— Sacré Herbert! ai-je rigolé. Pas étonnant qu'il veuille toujours me faire la morale...

— Les hommes sont souvent comme ça quand ils deviennent pères...

— Ouais, mais rien qu'avec leurs filles! ai-je nuancé.

Grannie Irma et moi avons échangé des blagues sur le Doc et Herbert et nous nous sommes moquées des points communs à ces deux hommes et à tous les autres.

Une espèce de complicité se tissait entre elle et moi. La tension qui avait rendu pénibles nos premiers moments ensemble semblait s'être relâchée, si bien que nos prises de bec commençaient à ressembler à un mauvais rêve.

Au salon, le disque venait d'arriver au bout de sa première face. Tandis que Grannie se levait pour le tourner, j'ai pris deux fourchettes et le bol de salade de macaroni au thon dans lequel nous picorerions en continuant de parcourir les albums.

— Inévitablement, Herbert et Nina ont fini par se séparer, ce qui n'était pas pour déplaire à Léo...

— Ils ont cessé de se voir complètement, du jour au lendemain?

— Non, graduellement, au fil de l'adolescence. De plus en plus, Herbert est devenu comme un grand frère pour Nina, puis un ange gardien, veillant sur elle de loin... Et puis il a rencontré ta mère...

Soudain, le ton de Grannie s'est fait plus sombre. Même la guimauve de Nat King Cole au salon ne parvenait pas à alléger l'atmosphère.

— Au fond, il aurait peut-être mieux valu pour Nina qu'il demeure toujours auprès d'elle...

Elle a baissé la tête et a tourné la page de l'album. Je devinais sa douleur ravivée, comme un coup de poignard au cœur.

— Grannie, dis-moi comment Nina est morte.

Un silence lugubre a ponctué ma question. À mon tour, j'ai baissé les yeux.

— Elle avait tout juste ton âge, a finalement répondu Grannie, des sanglots dans la voix. Elle s'est suicidée avec des barbituriques...

Je ne l'ai pas regardée au moment où elle prononçait ces mots. Je n'en ai pas eu le temps parce qu'une photo sur la page venait de capter mon attention. À la vue de celle-ci, le vertige m'a reprise, et cette sensation bizarre de flotter en dehors de l'espace et du temps.

Sur la photo, Herbert et Nina se tenaient dans la cour de la maison de Doc Armand à Pétionville, dans les collines surplombant Port-au-Prince. À l'arrière-plan, on voyait une dépendance identique à celle de mon hallucination avec, sur le pas de la porte, un chat qui ne pouvait être que Gare-à-ma-queue!

Chapitre 9

Fantômes ?
Vous avez dit : fantômes ?

Les quelques jours qui ont suivi relevaient de la torture. Jamais auparavant je ne m'étais autant préoccupée du lever du soleil. Au terme de mes nuits tourmentées, j'épiais la venue de ses premières lueurs, sa lente montée. Chaque matin était un recommencement qui me semblait trop tarder. Pourtant, mes journées chez Grannie Irma se succédaient avec une vitesse de limace, pareilles les unes aux autres.

Se fatiguant rapidement, Grannie passait le plus clair de ses journées à dormir. De mon côté, j'égrenais les heures comme un chapelet d'ennui. Puis le soir revenait avec son cortège de visions cauchemardesques.

Dans ces rêves, je n'en finissais plus de mourir en poussant des cris d'agonie qui ne franchissaient même pas mes lèvres. Mon délire avait une coloration proprement funèbre. Au réveil, je sanglotais ou je ricanais sans raison, passant en un clin d'œil d'une euphorie grisante à un état de profonde dépression.

Parmi ces images délirantes, celle d'un chat à la fourrure blanche tachetée de roux, couché devant la dépendance de l'ancienne maison de Grannie, me poursuivait avec le plus d'insistance. Cette obsession s'accompagnait de questions auxquelles je ne réussissais pas à trouver de réponses satisfaisantes.

Qu'est-ce qui m'arrivait ? Pourquoi est-ce que je crevais de chaleur alors que le chauffage central de la maison était éteint depuis des mois ? Comment avais-je pu visiter en rêve une cour où je n'étais jamais allée, que je n'avais même jamais vue ? D'où sortait ce chat, jumeau de celui de Nina ?

Sans doute fallait-il attribuer mon début de fièvre à un virus inoffensif : il n'y avait vraiment pas de quoi écrire à sa mère ! Sans doute, aussi, avais-je déjà aperçu, dans un album de mon père, une photo de la cour intérieure de la propriété pétionvilloise de Doc Armand.

Gare-à-ma-queue ressemblait un peu au chat sur la photo, mais il ne pouvait pas s'agir du même. Les chats ne vivaient pas si longtemps : quant à leurs présumées neuf vies, ce n'était qu'un mythe !

Des coïncidences, seulement des coïncidences ! Je me répétais ces mots inlassablement, sans parvenir à y croire. Les paroles d'une comptine apprise dans je ne sais quelle émission de télé revenaient me hanter :

Les fantômes, ça n'existe pas
Ce sont des histoires, ce sont des histoires
Les fantômes, ça n'existe pas
Ce sont des histoires qu'il ne faut pas croire

Ces paroles me rappelaient une aventure qui m'était arrivée à l'époque où nous habitions en banlieue. J'avais sept ou huit ans et, selon Herbert, j'étais une foutue démone, une petite « sans aveu* ». Mes copines et moi avions pris l'habitude d'arrêter à l'église à la sortie de l'école. Nous y arrivions juste à temps pour la messe de seize heures trente... mais nous n'allions pas prier. Cachées sous les bancs du fond, nous nous amusions à ululer comme des fantômes. L'acoustique de la nef donnait à nos voix un écho surnaturel qui fichait la trouille aux personnes âgées venues se recueillir.

Évidemment, il avait fallu que je me fasse remarquer — j'étais la plus « visible » de la bande et nous étions la seule famille noire de la paroisse. Le curé Gauthier s'était plaint à Herbert, qui avait piqué une de ces crises...

Plus philosophe, Loce s'était bornée à me mentionner que je méritais que de vrais spectres me demandent des comptes pour avoir tenté de passer pour l'un d'eux. Cela avait lancé un débat entre elle et moi à

---

* En créole, l'expression « sans aveu » désigne des méchants garnements, des enfants insupportables.

propos des revenants. Sceptique, j'affirmais qu'ils n'existaient pas, mais ma mère soutenait le contraire.

Un soir vers minuit, peu de temps après, je venais à peine de me coucher, et j'avais entendu un bruissement d'étoffe et le tintement d'une chaîne qu'on traîne sur le plancher. Ouvrant les yeux, j'avais aperçu une silhouette indistincte qui se découpait dans l'embrasure de la porte de ma chambre. La forme avançait vers mon lit lentement, comme si elle transportait un boulet. Aucun trait, aucun membre... juste un linceul blanc qui flottait dans l'air...

Un fantôme!

Terrorisée, je m'étais redressée en sursaut sur mon lit. Je hurlais «Maman!» à me rompre les cordes vocales.

Le spectre avait reculé dans le couloir où il avait disparu. Mon cœur battait si fort que j'avais l'impression qu'il allait exploser dans ma poitrine.

Loce s'était alors pointée dans ma chambre. Inquiète, elle avait allumé la lumière et m'avait demandé ce qui n'allait pas. Étant donné la discussion que nous avions eue à ce sujet, je n'allais quand même pas lui dire que j'avais vu un fantôme...

Tandis que j'essayais de me convaincre moi-même que j'avais fait un cauchemar, j'ai remarqué le sourire que Loce avait tant de mal à réprimer. Elle avait alors éclaté d'un rire moqueur, repris en canon par Herbert et Jacky dans le couloir...

J'avais hésité avant de réagir, fâchée du tour que ma mère venait de me jouer, un drap blanc et une chaîne comme accessoires. Soulagée de n'avoir pas eu affaire à un véritable revenant, je m'étais tout de même jointe à l'hilarité générale. Comme dit l'adage, quand on ne vaut pas une risée, on ne vaut pas grand-chose.

Hélas, les bizarreries dont j'avais été à la fois témoin et victime chez Grannie m'enlevaient l'envie de rigoler.

Les fantômes, ça n'existe pas
Ce sont des histoires qu'il ne faut pas croire

Ce que j'aurais donné pour pouvoir balayer mon angoisse seulement en entonnant cette chansonnette ! À Locita, qui m'appelait de temps à autre, je n'osais rien dire, de peur de passer pour une folle. Elle et moi échangions des banalités, commentions l'idylle naissante entre Jacky et Sandra, les humeurs de Herbert. Tout au long de ces conversations anodines, je m'agrippais à la voix de ma mère comme une naufragée se serait cramponnée à une bouée au beau milieu d'une tempête.

Parfois, Loce s'inquiétait de ma propre voix qui, selon elle, me ressemblait de moins en moins. Je lui répondais qu'elle n'avait pas à s'en faire ; j'avais un rhume, rien de grave. Invariablement, elle raccrochait et me laissait seule à l'autre bout du fil, perdue sur un océan tumultueux.

Les heures entre le crépuscule et le moment de me coucher m'étaient des plus pénibles. Même avec des piles neuves, mon walkman refusait de fonctionner. La réception de l'antique télé noir et blanc laissait à désirer et, de toute façon, sans le câble, je ne trouvais pas grand-chose qui m'intéressait. Enfin, étant donné la nature des idées fixes qui m'habitaient, je n'avais guère le goût de poursuivre ma lecture du roman de Toni Morrison...

Certains soirs, j'essayais de joindre mes copines à Montréal. Inutile de dire qu'elles avaient toutes mieux à faire que de perdre leurs soirées au téléphone avec moi.

À ces moments-là, je m'en voulais davantage d'avoir encore oublié de demander à Sam son numéro, l'autre jour. Au moins, ça m'aurait fait une présence plus concrète, plus rassurante que la voix trop lointaine de Loce. Je n'avais pas de nouvelles de lui depuis notre randonnée à vélo. Je suis donc partie à sa recherche.

Après avoir erré toute la matinée dans les rues du quartier, sans trouver sa trace, je m'étais résignée à en faire mon deuil. C'est alors que je l'ai entrevu au terrain de jeux. Il disputait une partie de basket avec ses «mauvais compagnons», qui étaient de retour.

Je ne saurais dire pourquoi je n'ai pas répondu à son salut. La rage au cœur, j'ai pédalé jusqu'à la maison. J'étais jalouse, certes, mais de quel droit? Après tout, Samuel ne m'appartenait pas, il pouvait s'amuser avec qui il voulait.

Soit. Libre à lui de passer me rendre visite quand bon lui semblerait... mais rien ne garantissait que je serais disponible ! Je n'ai pas remis le nez dehors pendant deux ou trois jours. Tout ce temps, j'ai été la proie de violentes nausées, d'inexplicables étourdissements. C'était bien la semaine de mes règles, mais elles n'avaient jamais été accompagnées de tels malaises. J'étouffais. Mes migraines récurrentes me torturaient. La solitude et le silence me désarmaient. La chaleur de la maison me débilitait.

Abandonnée de tous, je distillais mes rancœurs et mes frustrations à longueur de journée jusqu'à m'empoisonner l'existence. Je m'imaginais traquée par une présence impalpable et obsédante, décidée à me chasser carrément de mon propre corps.

Je ne voulais absolument pas laisser paraître mon inquiétude en présence de Grannie Irma. Depuis que nous nous étions apprivoisées l'une l'autre, son extrême vulnérabilité me la faisait voir sous un jour nouveau. Je ne pouvais me résoudre à troubler son équilibre psychologique précaire avec mes histoires à dormir debout.

Quand elle ne dormait pas, Grannie s'asseyait au comptoir. Tandis que je préparais le repas, que je faisais la vaisselle ou la lessive, elle multipliait les anecdotes sur sa vie d'autrefois en Haïti. D'une voix chevrotante, elle ressuscitait des moments agréables ou tragiques, aussi cérémonieusement que si elle était en train de réciter des extraits de la Bible ou de me lire son testament. Elle déclamait ses souvenirs au son des ballades de Nat King Cole. À la longue, les musiques mielleuses finissaient par me tomber sur le cœur. Je m'estimais chanceuse de n'être pas diabétique, car tout ce sirop aurait pu me plonger dans le coma. Je devais lutter contre l'envie d'arracher les disques du tourne-disque et de les briser sur mes genoux.

Les monologues de Grannie me faisaient l'effet d'invocations rituelles destinées à extraire de leurs sépultures les spectres de son passé afin de les faire parader devant elle. Excédée, je gardais un œil sur la cour arrière, terrifiée à l'idée de voir réapparaître la dépendance, le chat... et une procession de morts vivants aux chairs en putréfaction.

* * *

Je ne cessais de me répéter que la maison n'était pas hantée, qu'elle ne pouvait tout simplement pas l'être ! Je devenais hypersensible, tout juste capable de m'interdire de me lever la nuit pour ouvrir les fenêtres et crier au secours à m'en arracher les poumons.

Je me représentais sur un théâtre imaginaire des scènes horrifiantes qui m'étaient soufflées par la fièvre. Je ne pouvais plus me défaire de la désagréable sensation d'incarner l'héroïne dans un remake du *Petit*

Chaperon Rouge, scénario de Stephen King. D'ailleurs, je me figurais sans effort le ton du dialogue :

— Grannie, comme vous avez une maison bizarre...

— C'est pour mieux te rendre folle, mon enfant !

Un soir de pluie, après ma toilette, je me suis installée dans mon lit. Entre les rideaux, je voyais le ciel horriblement gris peser sur ma prison. Une douleur pulsative à la tête et à la nuque m'empêchait de trouver le sommeil.

Asphyxiée de chaleur, je me suis levée pour ouvrir ma fenêtre plus grand. En retournant à mon lit, j'ai entrevu mon reflet dans le miroir de la commode. J'en ai eu le souffle coupé. Mon visage y apparaissait difforme, méconnaissable. On aurait dit un masque de cire en train de fondre. J'ai pensé aux montres liquéfiées d'un tableau de Dali.

En poussant un petit cri d'horreur, j'ai porté mes mains à mes joues. Mes doigts se sont enfoncés dans ma peau aussi aisément que dans du beurre mou. J'ai voulu les ôter, mais la chair de mon visage y collait telle de la glu. Comme de la gomme à mâcher, elle s'étirait jusqu'à découvrir par endroits les os de mes pommettes.

La fièvre, me disais-je, c'est la fièvre qui me fait dérailler. J'ai secoué la tête. Tout est revenu dans l'ordre. J'ai avalé un peu de salive et j'ai inspiré profondément.

Je me suis recouchée, parcourue de violents frissons. Enfonçant ma tête dans l'oreiller, j'ai serré les paupières. Les ténèbres ont alors paru se fêler et j'ai senti s'abattre sur moi une pluie de mains glacées.

Chapitre 10

Bain de minuit

Un soir, alors que je ne m'y attendais plus, j'ai revu Samuel. Grannie venait de monter à sa chambre. Sur la chaîne stéréo, Nat King Cole chantait l'amour, un amour exclusif qui rimait avec toujours, comme de raison. Dans le clair-obscur du coin-lecture, j'essayais de me détendre quand la sonnette a retenti.

— Salut, a-t-il fait, tout simplement.

— Samuel! me suis-je exclamée, incapable de taire ma joie.

Heureusement qu'il y avait la porte sur laquelle je pouvais m'appuyer! Je déplorais le trouble qui s'emparait de moi. Voilà que je devenais aussi nounoune que Sandra! Impossible de décrire précisément l'effet qu'il produisait sur moi.

Durant son absence, la plupart de mes pensées le concernant avaient été agréables. En sa présence, je me trouvais à la fois ravie et perturbée. Le pire, c'est que je n'arrivais plus à dissimuler mon malaise derrière une indifférence feinte. Il était à pied ce soir et portait un tee-shirt à l'effigie de Malcolm X sous un blouson assorti à ses jeans noirs.

— Tu m'étonnes : je ne pensais plus te voir, ai-je dit, en luttant désespérément pour museler mon excitation.

— Je n'osais pas venir, a-t-il avoué. Je croyais que tu étais fâchée.

— Pourquoi ? Tu ne me dois rien...

Réjouie de constater que mon embarras face à lui était toujours réciproque, je suis demeurée silencieuse quelques secondes. Je n'ai fait aucun geste pour l'inviter à entrer. Qu'il marine un peu dans sa gêne : ça lui apprendrait ce qu'il en coûte de me négliger comme il l'avait fait !

Après un moment à transférer nerveusement son poids d'une jambe à l'autre, Samuel a toussoté, puis il m'a proposé une promenade.

— Je ne sais pas si j'en ai envie, ai-je dit dans le seul but de me faire prier. Il est tard...

Samuel a insisté, mais pas assez à mon goût ; je l'ai donc fait languir encore un peu.

— Alors, tu viens ? s'est-il impatienté.

— Bof... et puis, pourquoi pas ?

* * *

La brise était fraîche et le ciel d'un bleu très foncé. Nous traversions les rues assoupies du quartier, sans rien dire, laissant le calme du soir nous envahir. Nous marchions sans voir les arbres ni les maisons, sans rien voir de ce trou perdu. Nous errions en dehors du monde.

Heureuse comme une couventine en permission, j'en oubliais l'inconfort de la maison de Grannie, mes malaises et mes cauchemars. Je ne vivais plus que pour l'instant présent.

Bientôt, nous sommes arrivés aux alentours de la piscine publique. Sam a pris ma main dans la sienne, a suggéré un bain de minuit et, sans attendre ma réponse, m'a entraînée vers la clôture grillagée qui ceinturait le parc.

— C'est fermé, Sam, ai-je rigolé, m'amusant de son audace soudaine. Il est tard.

— Sûr, mais ça ne serait pas un bain de minuit autrement, a-t-il répondu en grimpant sur un arbre dont les branches passaient par-dessus la clôture.

— Quelqu'un pourrait nous voir...

— On s'en fiche. Viens !

— Je n'ai pas mon maillot...

— Moi non plus ! a-t-il conclu en se laissant tomber de l'autre côté.

Qu'à cela ne tienne ! Grisée par son enthousiasme, je l'ai suivi. J'ai sauté de l'arbre directement dans ses bras. En m'attrapant, il a failli se retrouver sur le cul.

Il a attendu avant de me poser par terre. Je n'aurais pas détesté demeurer plus longuement dans ses bras. Tant qu'à jouer à Tarzan, mon bonhomme, il faut assumer le rôle jusqu'au bout !

Les lumières allumées au fond de la piscine teignaient l'eau d'une lueur fluorescente. Agitée doucement par le vent, elle ressemblait à un voile de soie turquoise, souple et délicat.

Nous nous sommes dévêtus timidement. Dans son slip Calvin Klein, il me rappelait les statuettes d'ébène qui décoraient le manteau du foyer chez Grannie. Moi-même presque nue, en sous-vêtements en lycra, je sentais mon corps se couvrir de chair de poule. L'attrait du fruit défendu m'interdisait cependant de me soucier de ma fièvre.

Samuel s'est jeté à l'eau dans un clapotis sonore. J'ai plongé à mon tour. L'eau était glacée, mais je m'en foutais, trop contente enfin de me baigner. En faisant la planche, j'ai gardé les yeux ouverts pour embrasser tout le ciel. Au-dessus de moi, la nuit mouchetée d'étoiles blêmes semblait illimitée.

Après quelques longueurs, je me suis collée contre Samuel pour que nous nagions ensemble. Il est passé derrière moi et m'a prise par la taille. J'avançais à la force des bras, tandis qu'il battait des pieds.

Nous sommes ressortis en même temps. L'eau qui dégoulinait sur moi me faisait grelotter. Samuel a entrepris de me sécher avec son tee-shirt. Les paupières à demi closes, je me suis mordu la lèvre inférieure, me délectant en silence du contact de ses mains à travers le coton.

Il s'est extasié sur la vitesse à laquelle mes cheveux poussaient. Ils lui avaient paru beaucoup plus courts, la dernière fois. J'ai passé une main sur ma tête, surprise par cette croissance phénoménale. Ne sachant pas l'expliquer, j'ai haussé les épaules. Il a cessé de me frictionner et m'a regardée droit dans les yeux. Le reflet bleuté de l'eau sur son corps d'athlète lui donnait un aspect fantasmagorique. Une onde de chaleur intense est montée de mon ventre vers mes joues trempées.

Avant que j'aie pu deviner ses intentions, sa bouche a pris la mienne et ses bras se sont refermés sur ma taille. Son haleine chaude et mentholée m'a enveloppé le visage. Ses lèvres avaient un goût de chlore. Ce baiser n'avait rien à voir avec le bécot chaste échangé quelques jours plus tôt. Sa langue allait et venait entre mes lèvres, taquinait la mienne, la fuyait puis revenait.

J'ai senti ses pectoraux humides palpiter contre ma poitrine. Une déflagration m'a embrasée. Les yeux fermés, j'écoutais le sang battre à mes tempes.

Je l'ai enlacé à mon tour, avec fougue, enfonçant mes ongles dans son dos. Nos bouches s'étaient alors séparées et nous faisions rouler nos lèvres dans le cou de l'autre. Ses mains qui, jusque-là, avaient couru timidement sur mes omoplates gagnaient en hardiesse, se permettant de descendre sur mes fesses. Essoufflée, je lui mordillais le lobe de l'oreille, lui léchais le bas de la mâchoire.

Soudain, j'ai éprouvé encore cette vertigineuse impression d'apesanteur. De l'obscurité ont fusé des voix, des odeurs et des sons qui ne pouvaient venir des alentours de la piscine. Un pêcheur annonçait en créole qu'il avait du poisson frais à vendre. Des baigneurs s'agitaient bruyamment parmi les vagues. Le chuchotis de la mer sur les galets. Comment était-ce possible ?

— Non, ai-je gémi, apeurée, mais Samuel n'écoutait que son désir. Non ! ai-je répété plus énergiquement en arrachant ma bouche à la sienne comme une noyée qui cherche l'air.

Autour de moi, ni pêcheur, ni baigneurs, ni plage. Juste Sam qui me considérait d'un œil perplexe. Il a voulu m'embrasser de nouveau, mais je l'en ai empêché. Désorientée, je n'avais plus qu'une envie : partir d'ici au plus vite !

J'ai caressé ses cheveux et son visage mouillés puis, à contrecœur, je lui ai saisi les poignets pour l'obliger à me lâcher.

— Ce n'est ni l'endroit ni le moment, ai-je haleté.

Il avait l'air déçu que je mette fin si abruptement à nos ébats, mais il n'a pas passé de commentaires.

Vite rhabillés, nous avons repris le chemin par lequel nous étions venus. Je lui ai fait la courte échelle et, une fois dans l'arbre, il m'a aidée à grimper. Sans m'attendre, il a sauté sur le sol. Prise de vertige, j'ai hésité. On aurait dit que la distance entre le sol et moi augmentait à vue d'œil.

J'ai pivoté avec l'intention d'utiliser la clôture comme escabeau. Au moment où je glissais un pied dans le grillage, j'ai perdu l'équilibre, ma jupe s'est déchirée sur une branche et j'ai cru que j'allais tomber la tête la première. Mais, sorties de nulle part, une douzaine de mains ont interrompu ma chute.

— Samuel?

— Du calme, la belle, on te tient, a fait une voix inconnue.

En me tordant le cou, j'ai aperçu mes sauveurs : les « mauvais compagnons » de Samuel ! Ils me tenaient au-dessus de leurs têtes, avec des sourires fendus jusqu'aux oreilles. Me sentir l'objet de leurs regards lubriques m'a gênée. De mon pied libre, j'ai poussé la clôture dans l'espoir de dégager mon autre pied. Peine perdue.

— Tout un trésor, cette fille, a commenté en anglais le dénommé Nelson. Et dire que Sammy voulait la garder pour lui tout seul, sans la partager avec les copains ! L'égoïste !

Le sourire de Nelson avait l'air d'un rictus de charognard. Les mains de ses compères ont erré à des endroits de mon corps où elles étaient malvenues.

— Aïe, bas les pattes ! ai-je protesté.

— Laissez-la, a renchéri Sam, en dehors de mon champ de vision.

— Ta gueule ! a jappé Nelson.

Les autres y sont allés de plus belle dans leurs attouchements.

— T'aimes ça, hein, petite garce ?

Je bouillais, éprouvant à la fois de l'indignation et de la peur. Plus je me démenais, plus ça les amusait et plus ils me tripotaient avec effronterie, en ricanant comme des hyènes. J'ai crié à Sam de les arrêter, ce qu'il a bien essayé de faire, mais ils étaient si nombreux, je ne le voyais même plus.

Tout à coup, une lumière aveuglante s'est braquée dans notre direction.

— Il y a un problème ici? a demandé une voix féminine très rauque.

— Non, non, a répondu un de mes assaillants, sur un ton infiniment plus doux. On aidait notre copine à descendre...

Comme de fait, ils ont dégagé mon pied et m'ont posée par terre doucement. Les joues brûlantes de colère, je me suis levée pour faire face aux deux agents de police, un homme et une femme, debout près de leur voiture de patrouille garée derrière la Batmobile du frère de Nelson.

— Ça va? s'est enquis l'homme.

J'ai fait oui de la tête.

— Voulez-vous me dire ce que vous foutiez ici à une heure pareille? les a-t-il relancés.

— On était venus se baigner, a bafouillé Samuel, qui se tenait à l'écart de ses copains.

— Vous ne savez pas lire? a riposté la patrouilleuse en pointant sa torche électrique vers l'écriteau. Les baignades nocturnes sont interdites...

104

— Désolés, on ne le fera plus...

— Je l'espère pour vous autres. Si on vous y reprend, on vous embarque! Allez, dispersez-vous!

À ces paroles, ils sont retournés à leur voiture. Éberlué, Samuel a cherché mon regard. Furieuse, je me suis détournée de lui. Les policiers m'ont offert de me raccompagner. Sans hésiter, je suis montée à bord de la voiture de patrouille.

Chapitre 11
Anciennes cicatrices

De retour chez Grannie, je me suis précipitée sur mon lit, en pleurant de rage, d'impuissance et de fatigue. Dormir! Il fallait étouffer le feu de ma colère et dormir. Quelques heures de sommeil, même agitées comme les nuits précédentes, ne pouvaient que m'être bénéfiques. Je croyais dur comme fer que si je ne revoyais plus jamais Samuel, je ne m'en porterais pas plus mal.

J'ai rêvé que j'étais de retour dans mon propre lit, dans ma chambre à Montréal. Fiévreuse, je n'arrivais pas à dormir à cause de bruits en provenance du dehors. J'entendais des cliquetis d'armes à feu qu'on chargeait et des cris de femmes. J'entendais également des voix d'hommes qui m'ordonnaient de sortir les rejoindre.

Soudain, quelque chose s'est jeté contre la porte de ma chambre, tel un bélier. J'avais horriblement peur et je priais pour que la serrure tienne. En vain. Après quelques coups, la porte s'est ouverte avec un grand fracas et j'ai aperçu dans l'entrebâillement Gare-à-ma-queue qui, assis sur son séant, miaulait dans ma direction.

Comme un pantin dont le marionnettiste venait de tirer brusquement les fils, je me suis levée. Le chat s'est détourné pour filer dans le couloir. Possédée par une volonté étrangère à la mienne, je lui ai emboîté le pas.

À ma grande surprise, la porte de ma chambre ne donnait plus sur le corridor de la maison de mes parents, mais sur celui de mes rêves précédents.

J'ai suivi le chat jusqu'à une porte aux angles tordus, tout au bout du couloir. À notre approche, la porte s'est ouverte sur une salle qui rappelait un poste de police.

Autour d'un bureau, une douzaine de nègres en uniformes noirs se tenaient au garde-à-vous. Leurs visages, couverts de maquillage blanc, étaient ornés de lunettes noires. À l'exception de celui qui semblait leur chef, tous tenaient sous leurs mentons une bougie noire dont la lueur accentuait leur aspect sinistre.

Assis derrière son bureau, le chef était vêtu un peu différemment de ses comparses. Il portait un costume d'ordonnateur de pompes funèbres, redingote et haut-de-forme noirs. Son maquillage visait à donner l'impression qu'il avait une tête de squelette.

Sur le dessus du bureau trônait d'ailleurs une chandelle massive rouge sang plantée sur un crâne humain teint en vert. Gare-à-ma-queue est allé se coucher à côté, pour quêter les caresses du croque-mort.

La porte s'est refermée derrière moi. Sans cesser de flatter le dos du chat, le croque-mort m'a fait signe de m'approcher et de m'asseoir sur la chaise en face de son bureau.

J'ai obéi, malgré la terreur qui m'incitait à faire volte-face et à fuir. Il s'est levé, il a tourné autour de moi, puis il a posé une cuisse sur le coin de son bureau. Dans l'air flottait une odeur de mangues pourries... et les plaintes étouffées de femmes que l'on torturait dans les pièces voisines.

— Comment t'appelles-tu, jeune fille ? a-t-il demandé en créole.

— Leïla Bastide.

— Menteuse ! a-t-il hurlé en me giflant.

Je ne savais pas ce qui, de sa voix ou de sa main, m'avait davantage blessée. L'écho de son cri me chauffait les tympans, résonnait dans mon crâne comme un coup de marteau sur une cloche.

— Quel est ton nom ? a-t-il répété, encore et encore.

Ma gorge s'est nouée.

— Nina, ai-je fini par dire en sanglotant. Nina Armand.

— Qui, Armand ?

— Armand, Léonidas.

— Tu serais donc la petite du Doc Armand de Pétionville ?

— C'est ça.

— Et son père à lui ?

— Armand, Émile.

Il m'a obligée à remonter ainsi l'arbre généalogique de la famille Armand. Dans le rêve, chose bizarre, je connaissais par cœur le nom de tous les aïeux paternels de Nina. Pourtant, arrivée à la huitième génération, lassée de ce jeu, j'ai refusé de continuer.

— Foutre tonnerre ! a-t-il aboyé, dans un accès de colère. C'est toujours la même chose avec cette petite, elle refuse de donner son nom au complet !

— C'est une belle enfant, a alors commenté un de ses sbires.

— Très belle, a approuvé un autre.

Ils se sont mis à rigoler en chœur, d'un rire qui ne présageait rien de bon. Et leurs commentaires sont devenus plus grivois. Le chef s'est détourné de moi et il a repris sa place derrière son bureau. Il a recommencé à caresser le chat, dont le ronronnement avait alors acquis une sonorité menaçante.

— Messieurs, je ne crois pas pouvoir en tirer rien d'autre, a-t-il conclu sur un ton cynique. Vous pouvez disposer d'elle comme bon vous semble...

J'ai voulu bondir vers la sortie. Plus prompts, les hommes en uniformes se sont jetés sur moi à la manière d'une volée de rapaces. Je me suis débattue de toutes mes forces, en vain. En ricanant méchamment, ils ont déchiré le tee-shirt qui me servait de chemise de nuit.

Au loin, une sonnerie s'est mise à retentir, comme un glas dont les notes annonçaient ma perte...

* * *

Je me suis brusquement extirpée de mon cauchemar.

En bas, la sonnerie persistait.

Le téléphone, ai-je soudain songé. J'étais donc littéralement sauvée par la cloche.

J'ai rabattu mes couvertures pour m'élancer vers le rez-de-chaussée, en prenant garde cette fois de me cogner un orteil.

Comme je l'avais espéré, la voix lointaine de Locita s'est fait entendre à l'autre bout du fil. J'ai remercié le ciel.

Je me suis hissée sur le comptoir et je me suis donné le temps de reprendre mon souffle et mon calme avant de relancer Loce.

— Maman, qu'est-ce que tu sais à propos de Nina ? lui ai-je demandé du tac au tac.

Comme toujours, un silence lourd a accueilli la mention de la fille de Grannie. Mais je n'allais pas me contenter cette fois d'allusions vagues, sous prétexte que certaines histoires ne concernaient que les « grandes personnes ». À seize ans, je ne me considérais plus comme une enfant et Loce ne l'ignorait pas.

— Tu veux savoir quoi, exactement ? a-t-elle fini par enchaîner.

111

— Grannie m'a dit qu'elle s'est suicidée. Sais-tu pourquoi ?

Ma mère a poussé un long soupir. De toute évidence, il s'agissait d'un sujet très délicat. Loce n'avait pas fait autant de chichi le jour où elle avait dû m'expliquer « les choses de la vie »...

— Tu sais, c'est une longue histoire, aussi triste qu'affreuse, que ton père aurait préféré que tu n'apprennes jamais...

— Loce, je n'insisterais pas si ce n'était pas important.

Devant mon obstination, ma mère a capitulé.

D'une voix enrouée, elle a parlé d'une Haïti bien différente de celle qu'elle se plaisait généralement à évoquer. On était loin des paysages ensoleillés, des plages au sable doré, des récits folkloriques et des décors de cartes postales. On était plus près de certaines images désolantes diffusées au journal télévisé.

Loce n'avait pas connu Nina autrement qu'à travers ce qu'en disait mon père. Elle était au courant, bien sûr, de leur idylle d'avant l'adolescence, que Herbert lui avait contée en long et en large.

Loce savait aussi que depuis que mon père était tombé amoureux d'elle, Nina, peut-être par dépit, avait commencé à fréquenter un certain Jolicœur qui s'était fait un nom en tant qu'ardent partisan de Duvalier.

Au grand désespoir du Doc Armand, on la voyait parader dans les soirées mondaines, au bras de Jolicœur, revêtue des plus belles toilettes, exhalant les plus délicates fragrances venues de Paris. Un tas de racontars circulaient au sujet de Nina et de son cavalier, des calomnies rendues crédibles par la rumeur voulant que Jolicœur fasse partie de la redoutable confrérie des tontons-macoutes.

Le Doc et Grannie ont tout essayé pour dissuader Nina de se laisser courtiser par Jolicœur. Ils ont évoqué la différence d'âge, ils l'ont cajolée, raisonnée, menacée. Rien n'y a fait. Elle leur répondait que c'était seulement à cause de leurs préjugés de classe — il était issu de la paysannerie — qu'ils désiraient la voir rompre avec Jolicœur. Et puis, Nina reprochait encore à son père d'avoir éloigné Herbert...

De toute évidence, certaines réalités semblaient échapper à Nina : par exemple, l'idée que les préjugés de classe ne circulent pas qu'en sens unique.

Forts du pouvoir que leur assurait leur position dans la nouvelle échelle sociale, les tontons-macoutes, recrutés parmi les miséreux que méprisait l'élite, se sont mis à commettre les pires exactions. Tout cela pour venger les inégalités dont ils s'estimaient depuis trop longtemps victimes.

D'origine modeste, Jolicœur avait vu sa hargne envers la bourgeoisie exacerbée par l'avènement de cet ordre nouveau en Haïti. Pour lui, Nina ne représentait pas tant un cœur à conquérir qu'un symbole : une proie à capturer, une princesse à asservir, un temple à profaner.

Ce qui devait arriver arriva : un soir, Jolicœur est venu la chercher en voiture pour l'emmener à une fête... sans lui dire que ce serait la sienne !

Ils l'ont violée. En groupe. Elle-même n'aurait pu dire combien ils étaient. Pendant ce qui lui a paru une éternité, elle a incarné pour eux la source de toutes les frustrations, l'objet de toutes les rancœurs, si mesquines soient-elles.

Jolicœur et ses acolytes l'ont battue au sang en l'abreuvant d'obscénités. Ils l'ont martelée de coups dans les parties les plus intimes de son corps. Ils l'ont fait ramper à leurs pieds pour qu'elle les implore de lui laisser la vie sauve. Et quand elle n'a plus été qu'une poupée de guenille agitée par les sanglots, ils l'ont fourrée dans le coffre d'une voiture. Puis ils sont allés la jeter devant l'entrée de la maison de ses parents, tel un sac à ordures.

Elle ne s'en est jamais remise. À compter de ce jour, elle est demeurée prostrée dans sa chambre, refusant de parler à quiconque, même à Herbert...

J'ai grincé des dents, épouvantée par le récit de ma mère. J'avais envie qu'elle s'arrête, je ne voulais pas en apprendre autant, c'était trop d'horreur pour ma petite personne. En même temps, je croyais qu'il était primordial pour moi de tout savoir sur Nina.

Doc Armand a tenté d'user du peu d'influence qui lui restait pour faire punir les coupables. Mais comment peut-on obtenir justice dans un pays où la loi et l'autorité sont entre les mains de mécréants ? Jolicœur et ses hommes se pavanaient impunément dans Port-au-Prince, racontant à qui voulait les entendre comment ils avaient « eu » la petite Armand. Herbert n'en pouvait plus ! Prêt à tout pour venger Nina, il a provoqué Jolicœur. Les macoutes l'ont fait enfermer pour agitation publique. Ils l'ont relâché au bout de l'après-midi, couvert de plaies. Seule l'intervention d'un ministre, un ancien confrère de classe de son père, lui a épargné la prison.

En peu de temps, le Doc jadis si fier était devenu pour certains la risée de la capitale, pour d'autres un exemple de ce qui adviendrait à tout le pays. Les gens murmuraient derrière le dos de Grannie et de son mari, mais ils évitaient de les regarder dans les yeux.

Quelques semaines après, Loce apprenait par Herbert que Nina s'était tuée en avalant le contenu d'une bouteille de barbituriques dérobée dans le cabinet de son père...

En écoutant les paroles de ma mère, bien des choses ont commencé à s'éclaircir dans mon esprit. Mais ce qui me troublait davantage, c'étaient les parallèles qui existaient entre la fin tragique de Nina et certains incidents qui s'étaient produits depuis mon arrivée dans cette maison.

Je m'apprêtais d'ailleurs à confier mes angoisses à Locita au moment où j'ai constaté que mon tee-shirt était déchiré au même endroit que dans mon cauchemar...

Du coup, la voix de ma mère a semblé encore plus lointaine. La ligne s'est mise à bourdonner. J'ai voulu parler, mais les mots restaient bloqués dans ma gorge.

J'ai alors entendu, par-dessus l'interférence, une voix presque identique à la mienne remercier ma mère, la rassurer en lui disant que tout allait pour le mieux, que j'étais seulement curieuse... Et la saluer en promettant de rappeler plus tard.

Incapable de résister à la force étrangère qui m'habitait, j'ai dû ensuite raccrocher...

Chapitre 12

Chauds effrois

Je perdais l'esprit, il n'y avait pas d'autre explication ! J'étais fiévreuse et mon délire m'emportait à la dérive, si loin de moi-même que j'en avais une sorte d'illumination. La mort me paraissait si proche, si invitante que j'avais envie de me laisser séduire.

J'ai essayé de rappeler Loce au travail ou Jacky à la maison ou Sandra, ou Herbert. Peu importe le numéro que je composais, j'obtenais pour réponse le même maudit message enregistré : « Il n'y a pas de service au numéro demandé. Veuillez vérifier le numéro et composer de nouveau... »

J'étais abandonnée, seule au monde. Une condamnée attendant le bourreau qui viendrait l'escorter à l'échafaud.

Grognant de rage, j'ai arraché le téléphone de la colonne où il était suspendu. Je l'ai lancé au pied de la chaîne stéréo. Du coup, l'appareil s'est allumé de lui-même et le bras de lecture est allé se placer comme par magie sur une plage du microsillon : au début de *I've Grown Accustomed to her Face* !

J'ai tenté d'éteindre le tourne-disque, puis l'amplificateur. J'ai eu beau appuyer sur les commutateurs, débrancher les câbles d'alimentation, le disque continuait de tourner et Nat King Cole poursuivait sa sérénade comme si de rien n'était. J'ai soulevé le couvercle pour essayer d'arrêter manuellement le bras de lecture. Rien à faire : c'était au-delà de mes forces.

À l'étage, Grannie ronflait toujours, imperméable à mon vacarme.

— Qu'est-ce qui m'arrive, pour l'amour du ciel ? ai-je hurlé.

— De son cadre de bois pendu au mur de la salle à manger, Léonidas Armand me regardait d'un œil sévère, mais il n'a pas répondu à ma question.

— Évidemment. Il était mort depuis des années et les morts n'ont que faire du tourment des vivants...

... excepté ceux qui cherchent à regagner ce monde !

À cette pensée, j'ai frémi de la pointe des cheveux au bout des orteils, mais ce frisson lugubre qui me galvanisait ne pouvait m'être exclusif. Il me semblait que ce tremblement parcourait la maison entière. Les murs autour de moi prenaient une consistance de Jell-O.

Au-delà de la mélodie de Nat King Cole, des hurlements de femme, semblables à ceux qui avaient hanté mon rêve de la veille, ont déchiré l'air.

Pendant un moment, j'ai écouté les cris, cherchant à reconnaître la voix, mais ils sont vite devenus insupportables. J'ai mis les poings sur mes oreilles pour ne plus entendre. En vain : les lamentations de la suppliciée résonnaient à l'intérieur de mon crâne.

Tout cela me terrifiait. Je me sentais engloutie, possédée par une présence dont la densité ne cessait de s'accroître. J'avais l'impression qu'on cherchait à m'amputer d'une partie vitale de mon corps, de mon âme. Je m'effaçais, dépouillée de tout : plus rien ne m'appartenait, plus personne n'avait conscience de mon existence. J'étais en passe de devenir un zombi.

Sortir d'ici ! Je n'avais que cette idée en tête !

J'ai couru vers le jardin d'hiver, j'ai fait coulisser la porte du patio et j'ai bondi vers la cour arrière, en oubliant d'écarter la moustiquaire...

... et j'en ai traversé les mailles comme si j'avais été immatérielle pour me retrouver dans la cour intérieure de la maison pétionvilloise de Doc Armand !

J'avais à peine posé le pied sur le sol de terre battue qu'une douleur étrange a fait palpiter mes muscles. Mes entrailles remuaient follement, comme si un serpent déployait ses anneaux dans mon ventre.

Mes jambes ont vacillé sous mon poids et je me suis évanouie.

* * *

Les ténèbres qui me cernaient étaient si épaisses que j'aurais pu les croire tangibles, vivantes. La nuit parlait, j'en étais persuadée.

J'en arrivais même à penser que si je pouvais déchiffrer son langage, il me serait possible de me soustraire à son joug.

La nuit parlait, j'entendais ses mots de plus en plus distinctement. Dans un français maladroit, elle disait:

— Leïla? Leïla, est-ce que tu vas?

J'ai rouvert les yeux sur le visage de Samuel, accroupi dans le jardin près de moi. La nuit chaude, moite et très noire vibrait des bruits de l'été. Cela signifiait que j'étais demeurée inconsciente... toute la journée?

Samuel m'a aidée à me redresser.

— Je voulais m'excuser du comportement de mes amis, hier soir, a-t-il expliqué. Je ne sais pas ce qui leur a pris. Ils ont été odieux...

— Je ne prêtais pas vraiment attention à ce qu'il me racontait, trop affairée à remettre de l'ordre dans mon esprit.

— Hé, tes cheveux! s'est-il exclamé. Ils sont vraiment différents!

J'ai passé une main sur ma nuque: mes cheveux avaient encore poussé, ils m'allaient maintenant aux épaules.

Comme ceux de Nina!

— Oh, Samuel, serre-moi, ai-je sangloté. Sans se faire prier, il m'a enlacée. Dans mon désarroi, j'oubliais ma rancune. J'ai fermé les yeux. Un délicieux vertige m'a submergée. Mon cœur s'affolait. Samuel était si près de moi, si merveilleusement près. Je sentais la chaleur ardente de son corps contre le mien.

J'ai tendu mes lèvres entrouvertes vers les siennes, dans l'expectative d'un baiser que je souhaitais prolonger pour l'éternité, un baiser de conte de fées qui me délivrerait du cauchemar.

Samuel a plaqué sa bouche contre la mienne, prenant mes lèvres avec une tendre voracité. Mes bras se sont croisés dans son dos, mes doigts se sont refermés sur ses épaules comme des serres. Je me suis collée contre Sam de manière que nos corps se fondent. Le désir s'est mis à monter, en lui comme en moi. Je l'embrassais avec urgence, comme si cette étreinte pouvait venir à bout de ma frayeur. Il répondait avec toute la fougue dont il était capable.

Tout à coup, il n'est plus resté aucun vestige de la tendresse initiale du baiser. J'ai alors voulu me détacher de lui, épouvantée, mais ses bras m'emprisonnaient comme un étau. Plus je me débattais, plus sauvage il devenait. Son désir s'était mué en une faim violente et ignoble.

Ses mains rôdaient sur mon corps comme celles d'un brigand, aussi dures que sa bouche. Elles serraient mes hanches, se glissaient sous mon tee-shirt pour empoigner mes seins avec rudesse.

Ma pensée se désarticulait, emportée par une vague de terreur si grande que je craignais de m'y noyer.

J'étais une vierge destinée à être immolée sur l'autel d'une divinité sanguinaire.

J'ai réussi à reculer ma tête pour mieux le voir.

Comme celui du croque-mort de mon dernier rêve, son visage était maquillé en tête de squelette !

Je l'ai frappé de mes poings en pleine face. Mes coups n'ont eu pour effet qu'un grand éclat de rire sarcastique.

— Allez, encore un câlin, petite garce ! Je sais que tu aimes ça !

J'ai hurlé d'effroi. Ce n'était plus la voix de Sam, mais celle du croque-mort ! Autour de nous, le décor diurne de la cour de la demeure haïtienne de la famille Armand avait encore remplacé celui de sa propriété laurentienne.

— Laissez-la, salopard ! Laissez ma fille ! Surgie de nulle part, Grannie Irma faisait pleuvoir des coups de balai sur la tête de mon attaquant pour l'obliger à me libérer. Le paysage a oscillé de nouveau et nous nous sommes retrouvés dans la cour de la maison québécoise de Grannie, la nuit. Hébété, Samuel, qui était redevenu lui-même, m'a lâchée pour s'emparer du balai.

— Aïe, qu'est-ce que vous faites ? Arrêtez !

— C'est vous qui allez arrêter, va-nu-pieds ! Partez d'ici tout de suite, Jolicœur ! Hors de ma vue !

— Ça n'a pas de sens ! Moi, je fous le camp ! a-t-il fait, affolé, en courant vers sa bicyclette posée dans l'allée.

— Samuel! Ne me laisse pas! ai-je crié d'une voix fêlée.

Trop tard! Déjà, il était monté sur son vélo et pédalait vers l'autre bout de la nuit, sans jeter un coup d'œil par-dessus son épaule. J'ai voulu me lancer à sa poursuite. Hélas, mon pas était trop incertain. Je me suis bêtement tordu le pied et j'ai trébuché, comme un bambin qui apprend à marcher.

Laissant son balai de côté, Grannie m'a attrapée. Moulée dans une robe fleurie pareille à l'une de celles que j'avais aperçues sur une vieille photo, elle avait l'air plus maigre, plus vigoureuse et... plus jeune! Le soleil tropical m'a encore empli les yeux et j'ai constaté que nous étions de retour en Haïti.

— Ça va, doudou, c'est fini, a dit Grannie en flattant mes cheveux beaucoup trop longs. Maman va prendre soin de toi...

— Je ne suis pas votre fille!

— Ça va aller, Nina, a-t-elle renchéri sur un ton ensorceleur. Je comprends que tu m'en veuilles un peu, maman n'a pas été très gentille. Mais tu verras, tout peut encore s'arranger. Je serai là pour toi, tout sera comme avant, mon bébé...

— Je ne suis pas Nina! ai-je répété un peu plus fermement, même si mes forces me désertaient. Je suis Leïla Bastide!

— Allons, allons, entrons maintenant, ton père nous attend, a-t-elle repris, sourde à mes protestations.

Lucienne va bientôt servir le repas : c'est ton plat préféré, un potage au gombo…

Grannie Irma m'a entraînée vers la porte de sa maison, dans l'entrebâillement de laquelle j'ai reconnu la domestique rencontrée en rêve l'autre soir. Elle chantonnait gaiement une chanson folklorique créole tout en dressant la table pour trois.

Au moment où nous allions franchir le seuil de la maison, Gare-à-ma-queue est arrivé pour nous accueillir.

— … pas Nina, non : Leïla, continuais-je à balbutier, mais je commençais à en douter moi-même.

— Grannie Irma (ma mère ?) s'est penchée pour tendre les bras au chat. L'animal l'a snobée, préférant se faufiler entre nos pieds pour s'élancer vers la cour, sollicité par un appel irrésistible.

À ce moment précis, un vent glacé venu du fond de la cour a ébranlé la propriété. Sous le choc, la maison s'est fracassée comme un miroir. Affolée, j'ai croisé les bras devant mon visage pour me protéger des éclats qui volaient vers Grannie et moi.

Les fragments acérés nous ont traversés sans nous toucher, poursuivant leur trajectoire en direction d'un point précis dans notre dos. J'ai hurlé de peur, mais mon cri s'est perdu, noyé par la rafale sifflante. Désorientée, je me suis retournée pour essayer d'apercevoir la source de l'ouragan.

Derrière nous, je n'ai vu ni la cour de la propriété

pétionvilloise, ni la dépendance, ni le jardin de la maison québécoise.

Je n'ai vu qu'un abîme sans fond, néant indescriptible vibrant de mouvement, qui ne s'apparentait à rien qui puisse exister dans ce monde. La pluie d'éclats a convergé vers le cœur de ce trou noir, sauvage et impénétrable, où, nimbée d'un halo fuchsia, flottait la forme translucide d'une fille qui me ressemblait comme une jumelle.

Nina Armand !

Chapitre 13

Face à face

Les fragments lumineux de la maison Armand tourbillonnaient autour du spectre. Ils se fondaient dans son auréole en libérant des éclairs aveuglants pourpre et or. On aurait dit un essaim de lucioles kamikazes plongeant vers la flamme d'une bougie. Je me serais pensée en plein vidéoclip psychédélique. Émerveillée par la fantasmagorie du spectacle, j'ai failli oublier que ma vie se jouerait dans les prochaines minutes. À cette idée, j'ai senti un frisson monter le long de mon échine jusqu'à ma nuque.

Debout au milieu du kaléidoscope, Nina Armand caressait son chat-fantôme en me regardant fixement, le sourire aux lèvres.

J'ai d'abord pensé qu'elle se réjouissait de sa victoire qui ne saurait plus tarder. Ma volonté, mon caractère, mes aspirations, mes fantasmes... bref, tout ce qui faisait de moi Leïla Bastide s'était graduellement dissous au cours des derniers jours. Il ne lui restait plus maintenant qu'à prendre possession de mon corps brisé, exténué par la lutte.

Pourtant, en observant son sourire, j'ai cru constater qu'il n'exprimait pas le triomphe, mais la résignation. Je trouvais bizarre que cette fille que j'avais redoutée comme un démon ait presque l'air d'un ange...

Peu à peu, l'ouragan a diminué en intensité jusqu'à n'être plus qu'un souffle paisible, pareil à ces brises froides qui hantent les ruines de certaines cathédrales...

— Nina! a alors clamé Grannie Irma, quelque part près de moi, les yeux inondés de larmes.

Sans cesser de chatouiller le ventre de Gare-à-ma-queue, la jeune femme a détourné son attention vers sa mère. Sur le coup, son expression m'a paru plus volontaire, comme celle d'une maîtresse d'école sur le point de réprimander un cancre.

Nina a ouvert la bouche. Ses paroles ont franchi ses lèvres sous la forme de volutes éthérées, de couleur saumon. Ces bouffées tournoyaient dans le vide puis s'étiolaient, semblables à la vapeur qui s'échappe du nez, les jours d'hiver.

Tout doucement, d'une voix aussi mélodieuse que celle d'une sirène, elle a dit:

— Il faut que ça cesse, maman. Tout de suite.

J'ai cligné des yeux, éblouie par l'éclat de son halo. Je ne comprenais pas où elle voulait en venir. Autour de moi, les nuées-paroles de Nina variaient de teinte selon les inflexions de ses phrases, prenaient tour à tour des coloris clairs ou foncés.

— Je suis morte, maman, poursuivait-elle. Je ne pourrai jamais revenir. Jamais.

Ce mot a résonné simultanément à la manière d'un coup de tonnerre, d'une sentence, d'un adieu déchirant, comme s'il avait été prononcé par trois voix distinctes retransmises sur trois chaînes.

— Nina, ma petite fille, pleurnichait Grannie Irma. Je voulais seulement que tu...

— Je sais très bien ce que tu voulais, maman, l'a interrompue Nina, sur un ton sans appel. Ce n'est pas possible, elle a le droit de vivre sa vie à elle...

Nina parlait de moi. Contrairement à ce que j'avais cru, la morte n'avait rien à voir avec tout ce qui m'était arrivé depuis ma venue chez Grannie Irma.

La vieille a voulu avancer en direction de sa fille, mais dans les limbes où nous flottions, elle ne pouvait que faire du sur-place.

— Il faut que tu reviennes à la maison... gémissait-elle. Je me sens si seule...

— Je suis morte, maman, morte et enterrée. Il va falloir que tu l'acceptes un jour : je me suis tuée il y a plus de trente ans...

— Non, c'est moi qui t'ai tuée ! a protesté Grannie Irma, à un cheveu de la crise de nerfs. C'est moi, la meurtrière, moi qui mérite de mourir...

En entendant ces paroles pathétiques, un voile de brume s'est levé dans mes pensées. Aussi aisément que si on me les avait expliquées en détail, j'ai tout compris des circonstances entourant la mort de Nina. Sans écran, j'ai vu défiler en songe les images au grain grossier d'un film muet en noir et blanc qui retraçait les jours, les semaines qui avaient suivi la nuit fatidique du viol.

Du même coup, j'ai compris.

La souffrance d'avoir été trahie, utilisée puis jetée après usage, comme un jouet cassé, inintéressant.

L'indignation d'une famille pour qui l'honneur comptait plus que tout.

Le soutien qui a cruellement manqué au moment où on en avait tant besoin.

La rancœur de se voir considérée comme une tache, une souillure sur la noble lignée de son père.

Enfin, j'ai vu en gros plan la clé de la pharmacie, laissée à la traîne délibérément, comme une invitation à un bal...

Témoin impuissant, j'ai assisté aux scènes de ce mélodrame comme si j'y étais. (Mais peut-être y étais-je vraiment ?) J'ai alors pris conscience de l'étendue du chagrin qui habitait Grannie, du sentiment de culpabilité qui la rongeait depuis trop longtemps, comme une tumeur cancéreuse.

— Tout ça appartient au passé, maman, épiloguait Nina, d'une voix mélancolique, mais dénuée d'amertume. Ça ne sert à rien de remâcher des remords. Il est temps pour toi de tourner la page, de passer à autre chose, de permettre à ta vie de reprendre son cours...

Le rose bonbon des dernières nuées-paroles de Nina commençait à pâlir. Son image aussi s'estompait. On sentait la fin toute proche.

— Ma petite fille, ma petite Nina... a sangloté Grannie, qui cherchait désespérément à repousser l'échéance.

Le fantôme a fait non de la tête. Au fil de la conversation, les rôles semblaient intervertis, de sorte que maintenant la fille maternait la mère.

— Je ne suis plus ta petite Nina, maman. Je suis juste un souvenir qu'il faut laisser reposer en paix...

À la manière d'une image apparaissant sur une feuille de papier photographique plongée dans un bac de révélateur, le paysage nocturne de la cour arrière de Grannie s'est esquissé autour de nous. D'abord flou, le contour des arbres du sous-bois s'est lentement précisé jusqu'à acquérir une clarté cristalline. J'avais l'impression de me trouver devant une télé dont on ajustait la syntonisation.

De même, les sons ordinaires et rassurants du quartier endormi sont montés en crescendo. Criquets, chiens et klaxons lointains ont uni leurs voix dans un chant qui visait à réaffirmer le règne de la réalité. J'ai tapoté du pied sur la pelouse, afin de m'assurer que je n'étais pas victime d'une nouvelle hallucination.

131

Presque totalement effacé, le reflet de Nina Armand m'a adressé la parole.

— Je sais que ça risque d'avoir l'air terriblement prétentieux, vu notre ressemblance, mais tu es vraiment une jolie fille, Leïla Bastide, a-t-elle plaisanté. Ton père a toutes les raisons d'être fier de toi...

Nina a resserré son étreinte sur son chat qui faisait mine de vouloir sauter hors de ses bras. Elle et moi avons souri en même temps, avec les mêmes fossettes aux joues, et j'ai eu le sentiment de sourire à mon reflet à la surface d'un lac.

L'écho de sa voix a persisté dans ma tête, longtemps après que l'image s'est désintégrée.

— Tu diras à Herbert que Nina ne l'a pas oublié, qu'elle l'aime toujours autant, bredouillait-elle. Et qu'elle est sincèrement désolée...

Gare-à-ma-queue a miaulé une dernière fois, en guise d'adieu.

Puis il n'y a plus eu que le souffle du vent à travers les feuilles.

J'ai alors cherché Grannie Irma du regard.

Inconsciente, elle gisait sur le gazon. Je me suis précipitée à ses côtés, craignant le pire. J'ai poussé un soupir de soulagement en constatant qu'elle respirait encore, presque paisiblement.

Délicatement, je lui ai soulevé la tête et j'ai glissé ma cuisse en dessous, pour lui servir d'oreiller. Sous l'éclairage anémique de la lune, elle avait l'air si fragile...

J'ai essuyé les larmes qui roulaient hors de ses paupières plissées. Je n'avais envie que de la bercer, comme un bébé fiévreux. Dans son sommeil, elle luttait encore contre ses démons intérieurs. Je me suis penchée plus près, pour déchiffrer ses murmures.

— Je ne voulais pas qu'elle le fasse, pas vraiment, marmonnait-elle entre deux hoquets. Je ne pourrai jamais me le pardonner...

— Chchch, ça va aller, Grannie, ai-je chuchoté. Nina, elle, vous a pardonné. C'est tout ce qui compte...

Comme si je venais de prononcer une formule magique, elle a papilloté des paupières, avec l'expression ahurie de quelqu'un qui émerge enfin d'un trop long cauchemar.

Épilogue

Comme une prière

Ce vendredi-là, deux semaines plus tard, j'ai fait la grasse matinée. Tandis que je flottais entre rêve et veille, j'avais entendu ma mère partir pour la banque et Jacky annoncer à Herbert qu'il passerait le week-end avec Sandra, au chalet des Thériault dans l'Estrie. Eh bien, dis donc, avais-je songé, c'est du sérieux, leur histoire. En sortant du lit, j'ai jeté un coup d'œil sur la lettre que j'avais reçue d'Haïti la veille.

Grannie Irma, rentrée au pays avec la bénédiction de la famille de papa, malgré la situation politique incertaine, m'avait écrit pour me remercier. Grâce à moi, elle avait, selon ses propres mots, fait la paix avec son passé.

Elle avait tenu à m'exprimer sa reconnaissance, à témoigner l'affection qu'elle me vouait. Désolée des désagréments qu'elle avait pu me causer, Grannie espérait de tout cœur que ma vie reprendrait son cours normal...

Depuis mon retour à Montréal, je m'étais justement appliquée à cela. Samuel, lui aussi revenu en ville, m'avait rendu visite. Après les phénomènes fantastiques dont il avait été à la fois témoin et acteur dans la cour de Grannie, j'aurais pensé qu'il préférerait garder ses distances, mais non. Il faut croire que je mésestimais mes propres charmes...

Je lui ai fourni une explication plutôt simplifiée du drame auquel il a été mêlé contre son gré. Et même s'il n'était pas responsable de ce qui s'était passé, un restant de rancœur m'empêchait d'accepter ses propositions d'aller au cinéma ou de casser la croûte un de ces quatre. Pour l'instant, je ne lui disais ni oui ni non.

De toute façon, dois-je l'avouer, j'aimais l'entendre insister au téléphone. Et puis, je ne tenais pas à lui donner l'impression d'être une fille facile. Mon beau, il va falloir ramer pas mal pour me conquérir...

Vite douchée et habillée, j'ai pris le chemin de la cuisine.

En vacances depuis le début de la semaine, Herbert tournait les pages du plus récent numéro d'*Haïti-Observateur* en ponctuant sa lecture de *tchuip**. Je suis allée au salon mettre sur le lecteur au laser le disque que j'avais acheté la veille : les plus grands succès de Nat King Cole. Puis je suis retournée auprès de mon père.

---

* En créole, *tchuip* désigne un bruit émis à travers les dents serrées, marquant le mépris ou l'agacement.

Assise en face de lui, je l'ai obligé à mettre son journal de côté, puis j'ai pris ses mains dans les miennes. Étonné, il a ouvert la bouche, mais avant qu'il ait pu dire quoi que ce soit, je lui ai demandé, doucement, comme on prononce une prière :

— Parle-moi de Nina...

Note de l'auteur

Comme le veut le proverbe, « rendez à César ce qui est à César »... Ainsi, je tiens à signaler que le cauchemar du chapitre 11 s'inspire librement d'un rêve de l'initiée vaudou Marie-Noël Auguste, relaté par Odette Mennesson-Rigaud et Lorimer Denis dans leur article « Quelques notes sur la vie mystique de Marie-Noël » *(Bulletin du bureau d'ethnologie,* Port-au-Prince, mars 1947, p. 30-34).

Table des matières

Achevé d'imprimer
en juillet deux mille cinq, sur les presses
de l'imprimerie Gauvin, Gatineau, Québec